LA N[...]

ASTROLO[...]

LE RAT

CRÉALIVRES
3/5, RUE DE NESLES - 75006 PARIS

Texte de Shao Hin et de Laurène Petit.
Iconographie : Bibliothèque Nationale, Paris.

Imprimé en Italie

N° d'éditeur : C172
N° ISBN pour la collection : 2-86721-066-3
N° ISBN pour le présent volume : 2-86721-054-5

Dépôt légal : Paris, 2e trimestre 1989

Diffusion exclusive en France:
Comptoir du Livre à Paris.

Diffusion exclusive en Belgique pour la langue française:
Daphné Diffusion à Gent.

前
言

Avant de faire la connaissance de Shao Hin, je ne connaissais l'astrologie chinoise qu'au travers de sinologues éminents, certes, mais Français ! En sa compagnie, j'ai découvert la beauté des arts divinatoires de son pays à travers son langage imagé et ses gestes empreints d'une grâce toute occidentale.

Lorsqu'elle m'a proposé d'allier nos connaissances, j'ai éprouvé un vif plaisir, tout en ayant la crainte de la trahir par ma plume somme toute occidentale.

Mais une sorte d'osmose s'est créée entre nous, pont fragile entre l'Orient et l'Occident. J'ai essayé de m'effacer suffisamment pour que les lecteurs goûtent à cette poésie chinoise si subtile, tout en la rendant assez compréhensible à notre mentalité. Shao Hin parle couramment le Français, mais ne se sentait pas apte à l'écriture occidentalisée.

Nous espérons avoir réussi à vous offrir ce petit voyage en Chine. Et puis, si le panthéon des Dieux change, les hommes sont faits d'une même chair et attendent une vision universelle de leur destinée.

Laurène Petit

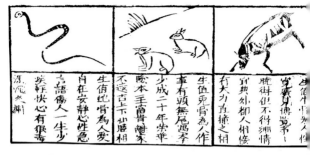

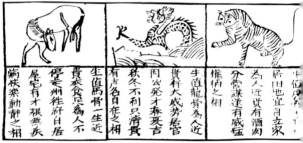

生值牛骨為人性
穿著身博覽弟
晚得但不得淅情
宜曲外却人州懷
有大力身捕之相

生值兔骨數作
車有頭無尾為乎
少成二十年崇華
不遠舌下机隆相

生值蛇骨為人愛
口在安靜心性急
言語傷人一生少
疾輕快心有狠毒
凋冗系捆

生值虎骨
居田地宜自立家
為人近貴有酒肉
分營謀遠有威猛
權柄之相

生值龍骨為人近
貴有大威勢居管
閃光發才華哭吉
秋冬不利只清貴
有与名自在之相

生值馬骨為一生近
貴衣食足為人不
停老州件辭日居
屋宅有才狠無疾
病快樂動靜之相

生值雞骨一生近
貴好九流為市
有牙爪高名顯達
不吃無衣
疾狀有似狠相

生值猪骨生性直
近皆人欺重不愛
祖宅生佳才飲食
不向粗細病也多
肖宅尊重之相

生值馬骨近之相
富貴近貴骨之相
手罪口生向老来
知睦忱急離祖上
開與上下親之不

生值大骨一生近
貴有福祿為入辣
既不吃無功之祿
主成家不只盖無

生值鼠骨為人煩
悩啾啾或忖快活
物件衣服常與如
觀人相爭一身病
悲快卿之相

生值猴骨一生有
才德被人戲騙為
人輕快聰明佳
好吃單子輕薄伽
幾立捷之相

LES CLEFS DE L'ASTROLOGIE
CHINOISE

中國星相學的要諦

Pour approcher le fonctionnement des arts divinatoires en Chine, il faut bien comprendre que pour les Orientaux, il n'existe pas de bien ou de mal. Simplement un désordre, que l'homme sème sur terre par ignorance, dans la vaste harmonie de la nature. L'astrologie, ici, permet de comprendre ses contradictions internes et d'y remédier. Car, comme l'a écrit Confucius : « Celui qui ne connaît pas son destin ne sera jamais vraiment un homme. » Les prédictions n'ont pas un caractère de déterminisme, mais offrent une toile de fond sur lequel l'homme tente de s'harmoniser. Un Chinois ne se dira jamais : « Je suis un Singe donc j'ai tels défauts, telles qualités », mais plutôt « De quelles façons puis-je être Singe dans les différentes circonstances de la vie ? ». Cette nuance, très importante, devrait être la clé vous permettant de vous servir de cet ouvrage pour le mieux dans l'esprit chinois.

Les 12 animaux : Un thème chinois est aussi complexe, si ce n'est plus, qu'un thème occidental. Ce livre ne suffirait pas à l'expliquer dans le détail. Mais il vous permettra de faire un portrait très proche de la réalité.

En Occident, il existe 12 signes, liés à chaque mois de l'année.

En chine, il existe 12 signes liés à chaque année d'un cycle de 12 ans : le Rat, le Buffle, le Tigre, le Lièvre, le Dragon, le Serpent, le Cheval, la Chèvre, le Singe, le Coq, le Chien et le Sanglier. Mais attention, l'année chinoise commence le 4 ou 5 février, c'est-à-dire 45 jours avant l'équinoxe du printemps. Vous trouverez en 4ᵉ de couverture les dates exactes concernant votre animal de naissance.

Ces annimaux représentent votre moi social, la façon dont vous vous laissez percevoir par les autres.

Le compagnon de voyage : Shao Hin avait été très choquée de s'apercevoir qu'en France, les gens n'hésitaient pas à donner leur heure de naissance ou leur ascendant.

En Chine, s'il est poli de se présenter par son animal annuel — car les autres sauront comment mieux vous aborder

旅
伴
們
— il est incorrect et dommageable de dévoiler sa date précise de naissance. En effet, celle-ci renferme toutes des données de votre personnalité profonde, et le montrer équivaut à perdre la face. Autrefois, dévoiler la date de naissance d'un Empereur était puni de la peine de mort, car c'était porter atteinte à sa toute puissance !

Le compagnon de voyage, comme son nom l'indique, représente la voix que tout un chacun entend au plus profond de lui et qui le trouble, l'aide, le pousse à agir, et avec lequel le dialogue n'est jamais interrompu. Le signe annuel représentant l'extérieur de l'être et le compagnon de voyage ses pulsions profondes, ils devront chercher entre eux deux l'harmonie parfaite pour faire un individu accompli.

Comme l'ascendant dans l'astrologie occidentale, il se calcule à partir de l'heure de naissance. Et c'est là qu'il faut un peu d'attention.

En effet, il existe une différence entre l'heure solaire et l'heure légale. Alors pour remettre vos pendules à l'heure, reportez-vous au tableau des heures d'été en fin de volume. Vous aurez ainsi votre heure solaire de naissance. A ce résultat, il vous faut ajouter 8 heures pour avoir l'heure de Pékin. Une fois ce calcul fait, reportez-vous au tableau pour connaître votre compagnon de voyage.

Compagnon de voyage	Heure de naissance
Rat	de 23 à 1 h
Buffle	de 1 à 3 h
Tigre	de 3 à 5 h
Lièvre	de 5 à 7 h
Dragon	de 7 à 9 h
Serpent	de 9 à 11 h
Cheval	de 11 à 13 h
Chèvre	de 13 à 15 h
Singe	de 15 à 17 h
Coq	de 17 à 19 h
Chien	de 19 à 21 h
Sanglier	de 21 à 23 h

Les éléments : Pour affiner encore plus ce portrait, il est primordial de savoir qu'en Chine, chaque animal possède ce que l'on appelle un élément stable.

En Occident, il existe 4 éléments : la terre, l'eau, l'air, le feu.

En Chine, il existe 5 éléments : le bois, le métal, la terre, l'eau, le feu.

Comme le Taureau sera élément terre, le Gémeaux élément air, le Singe sera élément stable métal, le Rat élément stable eau.

Ainsi, le Rat, le Buffle et le Sanglier auront l'eau pour élément stable.

Le Tigre, le Lièvre, le Dragon auront le bois pour élément stable.

Le Serpent, le Cheval, la Chèvre auront pour élément stable le feu.

Le Singe, le Coq et le Chien auront

14

pour élément stable le métal.

La terre n'est l'élément stable d'aucun signe, car elle contient tous les éléments en elle.

Mais pourquoi stable ? : Si en Occident, le Taureau sera toujours un signe de Terre, en Chine, les relations entre les signes et les éléments sont plus complexes et plus personnalisées.

Pour bien comprendre, il nous faut revenir au cycle des planètes, sur deux d'entre elles exactement : Saturne et Jupiter. Saturne met 60 ans pour faire sa double révolution autour du soleil. Tous les 60 ans donc, la grande fête du nouveau cycle commence. Février 1924 était un début de cycle, février 1984 un autre.

Mais Jupiter, de son côté, met 12 ans, un an par signe, pour faire sa révolution solaire, et tous les 12 ans, il donnera en repassant sur le même signe un nouvel élément. Comme il y en a 5, il faut bien 60 ans pour qu'un cycle recommence. Ainsi le Singe sera eau en 1932, bois en 1944, feu en 1956, terre en 1968, et métal en 1980. Puis, tout recommence.

Ainsi donc, une personne née en 1956 sera Singe, élément stable métal mais élément associé feu. Cette personne devra compter avec les apports du métal, du feu et de l'élément stable de son compagnon de voyage.

15

Qu'apportent les éléments ? : Les éléments, ou Hsing en Chinois, sont des apports essentiellement dynamiques. Ils ont le pouvoir d'adoucir ou de renforcer certains traits de votre caractère. Un Sanglier feu sera plus sensuel et intrépide qu'un Sanglier eau plus intuitif. Ces éléments caractéristiques sont détaillés dans la partie dictionnaire de ce volume à l'entrée Eléments.

Et comme en Chine, tout participe du Tout, ces éléments sont étroitement liés et forment entre eux des accords ou des désaccords qui forgent la nature profonde d'un être.

« La terre engendre le métal qui engendre l'eau qui engendre le bois qui engendre le feu qui engendre la terre. » Le cercle parfait. Mais… « Le métal (la hache) nuit au bois, l'eau éteint le feu qui brûle le bois qui retourne à la terre qui contient en elle tous les autres éléments. » En étudiant votre thème, n'ayez pas peur des contradictions qui apparaîtront. Elles sont là pour compenser l'être dans l'harmonie, et l'excès d'un élément pourrait être plus néfaste, le mieux étant l'ennemi du bien !

Dans la partie dictionnaire, ne manquez surtout pas l'entrée Yin Yang, essentielle pour mieux englober votre personnalité. Et enfin, le dernier chapitre vous dévoilera combien nos deux astrologies se complètent, et cela avec des sources de recherche bien différentes.

成
分
帶
來
什
麼

En effet, si l'astrologie occidentale se fonde sur le mouvement des planètes, l'astrologie chinoise se base sur le calendrier. C'est pourquoi on la nomme souvent « chronomancie ».

Pour bien pénétrer l'esprit divinatoire oriental, il faut avoir en mémoire que le Chinois sait avoir toujours la possibilité d'être maître de son destin; ce conte populaire tiré du Liaozhai l'illustre parfaitement :

« Un jeune junzi (jeune noble lettré), au cours d'un rêve, vit les deux sages qui compulsaient le livre des Morts. La chaleur devenant étouffante, les deux acolytes du « juge infernal » allèrent se désaltérer et le jeune lettré, piqué par la curiosité se mit à lire la page des prochains appelés. Y trouvant son nom, il prit un pinceau et modifia les caractères pour s'attribuer cent années de vie supplémentaires et repartit. Les sages de retour s'aperçurent du changement. Que pouvaient-ils faire ? Rayer les caractères eût démontré leur négligence. Mais ils pouvaient aussi transiger en altérant d'autres caractères.

C'est ainsi que le jeune homme se trouva doté de cinquante années de vie supplémentaires. »

Que ce livre puisse combler plus que votre curiosité, mais vous ouvrir une brèche dans la Voie.

PERSONNALITE

你的性格之重點

Affaires : Il est d'usage en Chine de se présenter par son animal emblématique. Ceux qui traitent avec un Rat savent qu'il vaut mieux pour eux ne pas le prendre sur le terrain de la ruse où il est sans conteste le plus fort de tous. Manipulateur à l'extrême, le Rat se joue de ses adversaires et serait capable de leur faire prendre un caillou pour l'Himalaya ! Sous ses airs calmes et sociables, il cache un œil critique terrible et lorsqu'il sent une bonne affaire se présenter, il ne se laissera pas freiner par la morale. Sa clairvoyance lui permet de flairer les pièges et son intelligence d'y parer. Il est impossible de tromper un Rat en affaires, et ceux qui essaient perdent bien plus qu'ils n'ont investi !

Ambition : ... « C'est parce que j'étais la plus belle

野

心

« Que je m'épanouis dans ce vase de jade

« Dit la rose au jasmin sauvage.

« Et tandis qu'elle se fanait au zénith de sa beauté,

« L'odeur du jasmin embaumait la vallée. »...

Le Rat possède une ambition dévorante. Certes, il est très sensible à la flatterie, mais il préfère avant tout sa liberté et sa sécurité. Il réussit toujours à parvenir à ses fins, mais jamais par les chemins traditionnels. Il n'est pas un travailleur acharné, sauf si l'enjeu en vaut la peine. Il préfère cultiver sa vie comme une œuvre d'art, même s'il en éparpille les morceaux, parfois, par manque de constance. Son ambition n'a pas de limite, mais il veut régner seul, sans contraintes. Il parvient au sommet par stratégie ; un Rat est toujours en position offensive.

Amitié : Le Rat est un ami précieux, aux conseils avisés. Drôle, original, impétueux, il entraîne le monde à sa suite.

友

情

Mais il ne faut pas compter sur un Rat pour vivre une amitié routinière ; il veut prouver qu'il est indispensable et pourra passer des heures à refaire entièrement une demeure dévastée. Il ne veut d'amis que pour des moments d'émotions intenses à partager. Sinon, il fuit ! Capable d'écouter les autres, de trouver

des solutions rapides à leurs problèmes, il veut aussi pouvoir s'enorgueillir de ses actes. Car si beaucoup pensent être l'ami d'un Rat, le Rat, lui, se sent très seul. Mystérieux et secret, il n'étale jamais ses pensées profondes et se sent un éternel incompris. Au moins veut-il avoir quelque gloire...

Amour : ... « Une pierre brûle en mon cœur

« Et se ravive aux larmes comme aux rires

« Nul ne peut la garder dans ses mains

« Que cette inconnue aux doigts incandescents

« Que je cherche en vain sur mon long chemin. » ...

Le Rat se sent éternellement incompris dans ses amours. Il est à la recherche d'un amour-passion absolu et va de quête en quête. L'homme du Rat est très différent de la femme. Lui, recherche les sensations fortes, craint la tiédeur, se plonge dans les affres de la jalousie. Amoureux, il ne vit plus qu'en fonction de l'être aimé, et n'est jamais sûr d'être payé en retour.

La femme du signe peut vivre totalement à l'inverse, cherchant un homme qu'elle puisse dominer, ou bien restant dans un rôle social d'épouse... en toute froideur. C'est sa façon de contrôler des sentiments puissants qui inquiètent sa nature parfois conservatrice.

Tous deux pourront être d'une totale

générosité si l'être aimé se trouve en difficulté. Mieux, ils adorent que l'autre ait un besoin absolu d'aider, quitte à le rejeter dès qu'il vole de ses propres ailes.

Argent : Le Rat est un financier. Il aime l'argent, sait le gagner et en use pour obtenir pouvoir, luxe et privilèges sans lesquels il ne peut pas vivre. Il thésaurise, déteste le gaspillage et fait des provisions pour les douze années à venir. Pourtant, s'il peut être presque avare, c'est un grand spéculateur qui n'hésitera pas à engager de grosses sommes au jeu. A l'inverse, lorsqu'on s'y attend le moins, il peut dilapider son avoir sur une toquade, l'envie d'un objet inutile et parfois... par générosité. Mais dans ce dernier cas, à moins que ce ne soit par amour, il attendra patiemment les intérêts de sa « générosité » d'un jour !

Aventure : Si le Rat aime la liberté, il n'est pas vraiment un aventurier. Sa clairvoyance lui fait pressentir les dangers mieux que personne et il tient par dessus tout à sa sécurité. Mais comme c'est un curieux impénitent de tout, il peut superficiellement sembler aimer l'aventure. Mais s'il est de beaucoup de départs, il sait toujours éviter les arrivées catastrophiques ! Vélléitaire ? Un peu. Plutôt très entousiaste tant que sa lucidité ne vienne à temps lui remettre les idées en place.

Bonheur : Le Rat place le bonheur si haut qu'il ne l'atteint que partiellement, dans des grands moments de passion qui font taire sa lucidité. Il ressent la vie comme une longue succession de sacrifices et de difficultés qu'il note soigneusement, comme pour mieux se rappeler sa difficulté d'être. Pourtant, à le voir en société, nul ne se douterait que son air enjoué cache une grande détresse.

Charme : Ce vocable est indiscutablement indissociable du natif. Magnétique, secret, enjôleur, il connaît son charme et sait en abuser. Comme il a horreur des étalages de sentiments, il joue sur la note délicate de ses charmes, des plus subtils aux plus tapageurs pour arriver à ses fins. Le charme est pour ce grand stratège une arme de premier ordre.

Compagnon de Voyage : Puisque vous êtes Rat en apparence, découvrez dans ces lignes cet autre vous-même avec qui vous avez à faire le long chemin de la vie, et que vous gardez secrètement enfoui au regard des autres.

 Rat/Rat : Aucune voix pour le contredire… ce Rat là se tient lui-même en très haute estime ! Il connaît son charme ravageur et sait en user, même en abuser. Passéiste, il engrange des souvenirs dont il ne veut se défaire, et des provisions pour l'hiver. Lucide, critique, il

aime sentir qu'il détient des pouvoirs sur les autres et s'amuse à tirer les ficelles du destin. Manipulateur, secret, agressif, il se sent incompris. Mais quelle ambition !

Rat/Buffle : Le Buffle tempère les extravagances du Rat et limite son champ d'action. Si ce natif ne perd rien de son intelligence ni de son charme, il s'en servira à bon escient et de façon mesurée. Obstiné, il prend le temps qu'il faut pour mener ses projets à bien et pense à très long terme. Souvent solitaire, il sera moins mondain que ses congénères, et ses amitiés comme ses amours seront durables et plus stables.

Rat/Tigre : Le Tigre apporte au Rat une dimension de noblesse et de grande largesse. Ce que le natif recherche, c'est le succès, la satisfaction de ses ambitions, et un large public pour l'applaudir. Sa générosité est très grande et il ne thésaurise pas ses biens, vivant au jour le jour. Agressif, il ne faut pas le contredire car ses haines sont implacables. Meneur d'hommes, ambitieux, il détient toutes les cartes pour réussir.

Rat/Lièvre : La ruse paresseuse et efficace du Lièvre seconde à merveille l'intelligence manipulatrice du Rat ! Ce natif ferait un homme d'affaires hors pair, un gérant talentueux. L'argent n'a aucun secret pour lui, et mieux encore, il sait en gagner en économisant le plus possible ses efforts ! Extrêmement méfiant et individualiste, ce natif tout en charme ne fait confiance à personne et ne se confie jamais.

Martin

蘢 Rat /Dragon : Ce Rat se prend pour un Empereur. Noble, fier, talentueux, il pêche souvent par excès d'ambition et a du mal à voir immédiatement l'ampleur du travail qu'il se donne. Il se retrouve ainsi souvent surchargé de tâches en retard. Mais la chance l'accompagne et il n'a pas sa pareille pour attirer les bonnes affaires. Drôle, sympatique, extravagant, ses idées sortent du commun. Ses amours sont profondes et sincères.

蛇 Rat /Serpent : Quelle perspicacité, quelle ruse ! Un tel natif semble voir au travers des murs... C'est un génie de la finance, un spéculateur au flair incroyable. Envoûtant, magique, ce natif échappe aux normes. Son magnétisme puissant fascine ceux qui l'entourent. Passionné, sa jalousie féroce en fait un amant possessif, sensuel, auquel il est difficile d'échapper ; il ne laisse jamais partir une proie qu'il a choisie.

馬 Rat /Cheval : Quel Rat étrange ! Pour une fois, il oublie sa sacro-sainte prudence pour se lancer tête baissée dans toute aventure qui le charme. Voyageur infatigable, il rêve sans cesse de nouvelles conquêtes.

Extravagant, bavard, drôle, libre comme l'air, il peut être du jour au lendemain riche mondain ou pauvre pêcheur ; sa vie n'est faite que de hauts et de bas.

Il est tiraillé entre un besoin de stabilité affective et son indépendance.

Rat/Chèvre : La Chèvre tempère l'agressivité du Rat et lui donne le goût de la stabilité confortable. Le natif saura mettre à profit son don de persuasion pour s'entourer de gens aimables qui lui offriront le gîte et le couvert pour qu'il puisse créer en paix.

Mondain, esthète et fragile, il joue sur la gamme des sentiments, recherchant la tendresse compréhensive et libérale plus que la passion.

Rat/Singe : Le Singe renforce la lucidité du Rat, mais lui donne audace et humour pour vaincre les angoisses que lui provoque sa clairvoyance. Rusé, il sait comment obtenir ce qu'il désire en se moquant gentiment des autres ; c'est un manipulateur de génie qui ne connaît aucun sens moral.

Drôle, gentil, intelligent, cultivé, habile comme un diable, personne ne peut lui résister, les reproches se mueraient en éclats de rire !

Rat/Coq : Ce Rat là fait dans le spectaculaire. Il aime être remarqué, admiré et ne supporte pas la moindre critique. Hésitant entre le besoin d'amasser sa fortune et l'envie de la dilapider sur un coup de tête, ses finances sont fluctuantes. Il s'angoisse facilement en pensant à l'avenir et passe des heures à décortiquer en public ses sentiments. Persuadé détenir des vérités profondes, il veut toujours conseiller les autres et s'en glorifie.

Rat/Chien : Le Chien un peu pessimiste recherche le juste et le bon en tout. Sa nature Rat aux facilités manipulatrices lui font peur et il se juge indigne alors qu'il est un être merveilleux de compréhension et d'honnêteté. Mais le simple fait de « savoir » qu'il peut mal faire le ronge. Artiste, sensible, aimant, il défend les siens avec âpreté, et aboie plus fort qu'il ne mord. C'est un ami fidèle et intelligent.

Rat/Sanglier : Que ce compagnon de voyage honnête at altruiste dérange le Rat qui aimerait mener rondement ses affaires ! Ce natif vivra ses contradictions internes très difficilement, passant par de grandes phases de dépression. S'il arrive à trouver un équilibre, il pourra se servir de sa ruse pour aider les autres comme il le désire sans se faire rouler ! De plus, c'est un amant merveilleusement sensuel et tendre.

Conflit : Peut-être est-ce parce qu'il les redoute qu'il attaque toujours le premier pour être sûr de conserver son terrain, comme un joueur de go.

Agressif, critique, caustique, il assomme l'adversaire avant qu'il ne puisse nuire. Mais si un Rat entre en conflit ouvert, il faut que sa position stratégique ait échoué, car il préfère gagner... dans l'ombre, et sans remous. Sa susceptibilité, son grand point faible, peut lui faire oublier toute réserve si elle est agacée !

Conseil : Le Rat est un conseiller avisé dont la réputation en Chine est très grande tant est estimée sa sagesse. Il voit le monde tel qu'il est, sans l'enjoliver, de façon très pratique.

Il sait toujours trouver les solutions aux cas les plus désespérés comme s'il s'agissait d'un immense jeu dont il connaîtrait parfaitement les règles et les tours. De plus, son don de clairvoyance allié à sa grande stratégie font qu'en Chine, on pense important de compter parmi les amis du Rat qui porte chance à ceux qu'il veut bien aider... car il ne conseille que ceux qui l'intéressent.

Inutile de préciser qu'il ne faut pas essayer de conseiller un Rat qui, malgré ses désirs d'être aidé, constate hélas qu'il est le mieux placé pour s'aider lui-même.

Conte : Selon le Yi-King, le Rat est associé à la notion d'argent, à l'activité nocturne et clandestine et aussi à la fécondité. Il n'est pas une image répulsive comme en Occident. Au contraire, rusé et charmeur, il représente une forme de sagesse. En fait, un Rat dans une demeure démontre que la maison est prospère ou en passe de l'être, car un Rat ne vit pas dans la pauvreté. C'est pourquoi il ne faut jamais tuer les rongeurs en Chine, car la chance pourrait tourner avec leur disparition. Possédant le don de clairvoyance, le Rat est censé prévoir les événements un an à l'avance. Souvent, le Rat aide l'homme par ses prédictions et de nombreux récits en témoignent.

Le plus significatif de ces récits est sans doute le suivant : « Un homme de grande culture était assis un soir à sa table de travail, lorsqu'il aperçut un rat qui se comportait d'étrange manière et semblait tout faire pour l'empêcher de se concentrer sur son ouvrage. Le rat arriva si bien à lui faire perdre patience qu'il se leva avec fracas pour le chasser. A peine se leva-t-il de sa chaise qu'une énorme poutre s'écroula du plafond et écrasa table et chaise. Le rat venait de lui sauver la vie. »

De nombreux poètes, intrigués par la malice du rat finissent pas conclure unanimement que l'intelligence du rat n'est rien comparée à celle de l'homme.

Courage : Le Rat a le courage de ses opinions. Mais il n'a rien d'un guerrier, car seule son agressivité le rend fort. Il ne craint pas la tâche s'il l'a choisie de bon cœur. Il tient trop à la vie pour la risquer dans un monde qu'il n'estime pas assez pour se sacrifier à lui.

Cuisine : Le Rat est un excellent cuisinier lorsqu'il s'en donne la peine. Il aime les plats exotiques, les saveurs fortes et épicées.

Défauts : Que le Rat fasse taire sa très grande susceptibilité et accepte simplement les vérités ci-après, car il est : manipulateur, profiteur, soupçonneux, inquiet, avide, agressif.

Eléments-Hsing : Pour affiner votre portrait il convient de compter avec l'agent stable de votre compagnon de voyage que vous trouverez dans l'introduction du présent volume.

<u>Le bois</u> : L'organe, en médecine chinoise, qui lui est associé est le foie, sa saison le printemps, son point cardinal l'est, sa planète Jupiter, son chiffre le 8, sa couleur le vert. C'est le règne de la force créatrice.

Rat/bois (1864-1924-1984) : Un Rat harmonieux. Le natif joint la créativité et la sensibilité à son don de clairvoyance.

Diplomate, intelligent, il s'attire les sympathies et sait trouver des appuis importants en aidant les autres de ses conseils originaux. Un peu narcissique, il est trop sensible à la flatterie, mais compense ce travers par son sens inné de l'harmonie et son dynamisme. Inquiet pour sa sécurité matérielle, il se rassure en étant très productif.

Le feu : L'organe, en médecine chinoise, qui lui est associé est le cœur, sa saison l'été, son point cardinal le sud, sa planète Mars, son chiffre le 7, sa couleur le rouge. C'est le règne du succès et de la passion.

Rat/feu (1876-1936-1996) : Un Rat passionné. L'apport du feu est difficile à assumer pour la clairvoyance du Rat qui se méfie des débordements passionnels. Pourtant là, il devient l'homme ou la femme de tous les départs, de toutes les aventures pourvu qu'il y trouve sa part d'exaltation. Hyper-actif, prodigue, il lui faut des causes à gagner, des enjeux forts pour le motiver. Rien ne l'arrête, et son manque de diplomatie lui vaut bien des ennemis, mais aussi des amis inconditionnels.

La terre : Les organes, en médecine chinoise, qui lui sont associés sont la rate et le pancréas, sa saison l'été au moment de la canicule, son point cardinal tous ou le centre, car la terre contient en elle tous les autres éléments, sa planète Saturne, son chiffre le 5, sa couleur le jaune. C'est le règne de l'équilibre et du mûrissement des idées.

Rat/terre (1888-1948-2008) : Un Rat persévérant et conformiste. Ce rat semble vivre au ralenti comparé à ses congénères. Il refuse sa lucidité qu'il préfère borner par un conformisme qui a fait ses preuves et lui assure une vie tranquille. Patient, tenace, loyal, il fuit un peu les mondanités et préfère les amis de longue date vivant à son image. Il est parfois dommage qu'il n'exprime pas plus ses dons par peur de l'inconnu qu'il pressent et lui fait peur.

Le métal : Les organes, en médecine chinoise, qui lui sont associés sont les poumons, sa saison l'automne, son point cardinal l'ouest, sa planète Vénus (ici, l'astre de la rigueur et de l'autorité), son chiffre le 9, sa couleur le blanc. C'est le règne de la fermeté et de la justice.

Rat/métal (1900-1960-2020) : Un Rat volontaire et rusé. Ce Rat ne connaît pas la diplomatie. Il s'érige en juge, décide, tranche. Passionné sous une apparente froideur, il est jaloux, possessif et d'une sensualité débordante. Sa ruse lui permet de faire fortune et de se rallier des appuis prestigieux. Tout lui réussit brillamment. Au faîte de sa gloire, il peut enfin baisser un peu le masque et montrer des idéaux plus nobles qu'il n'y paraissait…

L'eau : Les organes, en médecine chinoise, qui lui sont associés sont les reins, sa saison l'hiver, son point cardinal le nord, sa planète Mercure, son chiffre le 6, sa couleur le noir. C'est le règne du calme caractérisé par l'absence de passion (l'eau, en Chine, étant liée à l'hiver, symbolise plus la glace que la vie comme en Occident).

Rat/eau (1912-1972-2032) : Un Rat lucide et clairvoyant. Dominant ses pulsions et ses passions, il sait être diplomate, parfois trop pour être crédible. Manipulateur hors pair, il déteste les conflits ouverts et préfère agir dans l'ombre. Il joue les éminences grises et se révèle un conseiller compétent et avide de savoir. Son sens de l'événement et des êtres, son charme, lui permettent de réussir et de se faire épauler à temps.

Enfance : La naissance d'un Rat dans une famille, est toujours une joie, car l'enfant est censé porter chance et bienfaits sur toute la famille. Bâton de vieillesse de ses parents, un Rat n'oublie jamais les siens et leur prodigue fortune et attention tout au long de leur vie. C'est un enfant très astucieux et intelligent

qui a l'art de trouver des solutions à tous les problèmes. Il sait très tôt s'intéresser à la vie sociale de ses parents et les conseille efficacement. Sous son apparence ouverte, très sociable et pétillante d'humour, il ne se livre pas facilement. Il détourne les conversations portant sur lui et protège ses rêves et ses aspirations. Il serait dangereux de montrer au jeune natif les difficultés de l'existence, car sa nature méfiante se renforcerait. C'est un individualiste qui n'en fait qu'à sa tête et qui peut se montrer très agressif si on le contrarie.

Il déteste les horaires, les contraintes, et, pour ne pas inquiéter ses parents, pourra dissimuler ses pensées extravagantes pour ne les vivre qu'une fois adulte. Le Rat possède une excellente notion du temps. D'un sourire charmeur irrésistible, il fait oublier les orages pesant sur la demeure et manipule les siens avec art. Non pour leur faire du mal, son amour est bien trop sincère, mais pour tester ses possibilités futures.

Donnez-lui de l'argent de poche, il fructifiera si bien qu'il sera d'une totale indépendance financière avant l'âge et s'achètera ce qu'il désire sans rien devoir. Gentil, attentionné, il n'aime pas montrer ses sentiments et reste d'une extrême pudeur face aux grandes effusions. A ceux qu'il aime, il veut donner du concret, pas de belles promesses...

Ennemis : ... « Je vais sur mon chemin tel la pluie,

« Aimé de ceux dont les récoltes ont soif

« Haï des promeneurs dont je glace les chairs

« Si la brise plait à tous, car elle se laisse oublier,

« La pluie comme le soleil se fait Enfer ou Voie Céleste. »...

Le Rat ne laisse personne indifférent. Aimé ou détesté, il a autant d'amis inconditionnels que d'ennemis tenaces. Les uns louent son intelligence et sa lucidité, les autres montrent sa ruse manipulatrice et son agressivité. Certains le trouvent prodigue, d'autres rapace et avare. C'est qu'il ne donne qu'à ceux qu'il aime et veut être libre de choisir.

Famille : Le Rat vénère autant la famille qui l'a mise au monde que celle qu'il a créée. Son attachement au « clan » est incommensurable. Pour elle, il se tuerait à la tâche, renierait sa liberté. C'est un parent très aimé car il laisse à ses enfants l'entière liberté d'agir à leur guise tout en leur donnant les armes adéquates aux choix qu'ils auront faits. Conseiller, confident, éducateur, les enfants d'un Rat aiment leur parent. Certains peuvent lui reprocher un manque de fermeté, une facilité à esquiver les problèmes ; il en est malheureux, mais ne fera jamais, par pudeur, le pas nécessaire pour les faire revenir sur leur jugement.

Fantaisie : Le Rat possède un merveilleux sens de l'humour. Détestant le banal, lorsqu'il fait un cadeau, on peut s'attendre à tout : depuis un feu d'artifice signant le vocable de l'élu de son cœur, jusqu'à des jongleurs et des acrobates décorant le jardin ! L'important, selon lui, c'est d'étonner, de dépayser. Excellent conteur, il n'a pas sa pareille pour relater des faits, banals pour certains, extraordinaires dans sa bouche. Et s'il veut se venger, il ne fera pas appel à la justice : il trouvera le moyen le plus spectaculaire pour humilier sa victime en faisant rire les autres.

Fidélité : Tant qu'il aime et se sent payé en retour, le Rat sera d'une fidélité absolue. Il fera tout pour protéger une passion naissante et à ce moment, plus personne d'autre ne pourra exister à ses yeux. Il ne peut supporter la tiédeur, et sera fidèle, même à une ombre, si cette ombre peut lui procurer des émotions. S'il n'est pas marié (car alors, il voudra protéger sa famille), il partira simplement s'il sent qu'il n'y a plus d'échanges. Mais son opiniâtreté à vouloir se faire aimer à tout prix ne peut pas lui permettre d'être infidèle. Dans le mariage, même marié au pire des êtres, il estimera que sa fidélité fait partie du contrat et n'y dérogera pas. De plus, il déteste se sentir en tort et être obligé d'entendre des étages de sentiments...

Force : A voir un Rat vivre, il semble être en perpétuelle activité. Sa force semble ne pas avoir de limites. Même s'il délègue ses pouvoirs à plaisir, il aime montrer de lui l'image de quelqu'un de très actif et capable. Sa force principale est son don de stratégie.

Gourmandise : Le Rat est terriblement gourmand. Par goût, mais aussi par curiosité. L'idée de ne pas connaître une saveur le rend fou de rage. Et comme il craint toujours de manquer, même très riche, à force de faire des provisions, il grignote à longueur de journée. Inutile de préciser que les natifs risquent d'avoir de gros problèmes de poids...

Honneur : Pour le Rat, la vie est un immense jeu de société... qu'il veut gagner. Il se conformera aux règles tant que les dés lui seront favorables, mais n'hésitera pas à tricher pour vaincre. Si l'honneur est une façade utile, il l'adoptera... avec beaucoup de recul !

Hospitalité : ... « Ceux qui entrent dans ta demeure

« N'y viennent pas pour se sentir comme chez eux.

« Offre-leur des essences rares, des mets de qualité,

« Leurs langues se délieront, les rires frapperont les murs.

« Ceux qui entrent dans ta demeure,

« Cherchent un voyage : sois-en le paysage.

« Et comme le paysage, sache te taire,
« Les voyageurs parleront pour toi. »...
Le Rat est un hôte exemplaire. Mondain, il aime recevoir. Mais il reçoit ceux qui, un jour, lui rendront la pareille. Il déborde d'imagination, d'originalité et de bon goût pour satisfaire ses hôtes, et en profite pour se faire des relations utiles. Ses réceptions sont attendues comme un événement. Le Rat amuse la société, sait prévenir ses désirs... et ne se laisse jamais envahir par des indésirables. Il ne confond jamais hospitalité et charité !

Idéal : Le Rat mystérieux se livre peu. A le voir, on peut le croire dénué de scrupules, prêt à tout pour réussir et donc dépourvu d'un idéal autre que matériel. C'est on ne peut plus faux ! Le Rat est un grand romantique pudique, et son idéal est un amour élevé et partagé qu'il recherche et tente de façonner inlassablement. Il se sent trop lucide pour avoir des idéaux humanitaires. S'il aide son prochain, c'est par envie, pas par but.

Imagination : ... « Si ce monde n'est qu'illusions,
« Que les miennes soient plus fortes que le monde.
« Si le monde n'est que chimères,
« Que les miennent envahissent la terre.

49

« Illusion pour illusion, je veux y être chez moi ! »...

Le Rat inventif déborde d'imagination. Et son imaginaire se couple de prescience. Elle lui sert dans ses affaires comme dans ses amours. Parfois, elle se retourne hélas contre lui-même, lui montrant des monstres qui le terrorisent et lui font perdre le goût de vivre. Sa vive imagination peut ainsi lui montrer le mal là où il n'existe pas, et renforce sa méfiance.

Intelligence : Le Rat possède une très grande intelligence de synthèse. Rapide, claire, sa pensée est acérée, ses mots justes, critiques et mordants. Il saisit l'ensemble d'une situation d'un seul coup d'œil. Lucide et vif, le Rat manipule les idées comme les êtres, et ne se perd jamais. C'est par son intelligence que le Rat, dans la légende, est arrivé le premier auprès de Bouddha (voir entrée Légende). Cette lucidité lui donne souvent le sentiment d'être incompris des autres, et il en souffre.

Jalousie : ... «La rose que je cultive donnet-elle à d'autres la soie de son parfum ?
«Le précieux ne doit-il pas être unique ?
«Je préfère effeuiller la rose.
«Elle sèchera dans un livre que nul,
«Autre que moi, ne saura lire. »...

Le Rat méfiant est viscéralement jaloux. Il ne supporte pas l'idée de perdre ce

qu'il aime. Incapable d'exprimer ce sentiment, il devient facilement irritable et se sent incompris de tous. Il cherche l'amour absolu, mais craint que l'absolu même ne lui échappe.

Légende : Le seigneur Bouddha se préparant à quitter la terre invita tous les animaux à lui faire leurs adieux. Seuls 12 animaux répondirent à cet appel. En remerciement, Bouddha décida d'attribuer à chaque année du cycle lunaire le nom de ces animaux reconnaissants.

Le Rat, se rendant à l'appel de Bouddha, cheminait de pair avec le Buffle. Il lui dit alors : « Marche bien à mes côtés en traversant ce village. Celui que la population montrera du doigt se présentera le premier devant Bouddha. » Le Buffle fut d'accord. Les villageois, étonnés de voir un si gros Buffle en telle compagnie hurlèrent : « Regardez ce Rat, regardez ce Rat. » Et le Buffle céda de bonne grâce au Rat la place qu'il avait conquise par la ruse. Le Rat ayant été le premier à se présenter, il marque donc la première année lunaire.

Mariage : Le Rat prend le mariage pour ce qu'il est, c'est-à-dire un contrat. Il en édicte les clauses, et ensuite, quoiqu'il advienne, n'y dérogera plus. Le Rat a tant besoin de se sentir aimé qu'un contrat lui semble un lien de plus qui lui rattache l'autre. Dévoué, autoritaire,

possessif, le Rat n'est pas très facile à vivre. Si son mariage ne le satisfait pas, il fuira dans des occupations prenantes et diverses, mais fermera les yeux sur les vices de l'autre tant qu'il ne se sentira pas rejeté. Il prendra volontiers plus faible que lui pour le façonner à son image. Les couples réussis du Rat sont parmi les plus beaux à voir, car l'âge n'éteint pas la passion qui les anime.

Orgueil : Le Rat est excessivement orgueilleux. Il a tendance à penser qu'il est le plus intelligent et que le reste du monde a tort. Il se battra pour défendre l'image qu'il veut donner de lui-même avec une grande agressivité.

Paresse : S'il est très actif, parfois même trop au goût de ses proches, le Rat veut se sentir totalement libre de gérer le rythme de sa vie. Ses moments de paresse, il s'y coule avec délice, sans remords aucun, car il sait déléguer ses pouvoirs et avoir l'air très affairé, même lorsqu'il dort.

A l'ombre de cette réputation, il se permet de longues siestes oisives qu'il pense méritées, puisqu'elles sont obtenues par son charme et son savoir-faire. Il ne veut pas se reposer après un long travail, la notion de mérite l'ennuyant au plus haut point.

Il veut paresser lorsque les autres sont persuadés qu'il se tue à la tâche !

Parfum : Il sera plutôt tapageur : des fragrances mystérieuses et entêtantes dans leur persistance comme celles du musc, de l'ambre gris ou de l'aloès noir.

Passion : ...«Je veux la foudre des Dieux

«L'océan dans un vase de jade

«La force élémentaire dans un corps d'humain

«Pour sentir la Vie déborder de mon être

«Et mourir dans un éclair rouge

«En buvant les rayons du soleil.»...

Le Rat est un passionné. Il ne peut rien faire, rien vivre sans passion. Il veut des essences fortes pour enivrer son corps et son âme. Il ne veut être que là où se trouve une action passionnée à vivre. Pourtant, il existe en lui une forte dualité ; comme il sait les dangers des débordements passionnels, il craint les sentiments et s'en protège. Méfiant, prudent, il a du mal à vivre ses passions et pourra souvent les sacrifier en se donnant de bonnes raisons nobles. Mais il réagira toujours de façons explosives...

Profession : Le Rat est avant tout un financier et un stratège de génie. Toutes les professions réclamant le sens de la spéculation, la facilité des contacts et la stratégie diplomatique lui conviennent. Il veut être son seul maître, ne supporte ni horaire ni routine et veut briller aux yeux de tous. Il peut être un économiste ou un politicien hors pair.

Prudence : Le Rat lucide et clairvoyant sait que pour se protéger des vissicitudes de la vie, il doit être très prudent. Il le serait parfois même trop et de façon inattendue : prudent un jour, téméraire le lendemain. Sa prudence peut parfois l'empêcher de trouver sa chance. Il a si peur de manquer de l'essentiel, que même nanti, il entassera ses biens et ne prêtera qu'à ses proches, se faisant ainsi une réputation d'avarice. Clairvoyant donc, il se méfie de tout et ne s'engage jamais à la légère, prenant en compte toutes les pires données qui « pourraient arriver ». Pourtant, sur un coup de tête, il peut jouer sa demeure et tous ses biens... Heureusement, il a la main chanceuse.

Qualités : Que le Rat fasse montre de l'humilité qui lui manque en lisant les vérités ci-après car il est : drôle, fantaisiste, original, intelligent, stratège, séduisant, énergique, tenace, sentimental, et excellent conseiller.

Raffinement : Le Rat possède un goût très sûr bien que souvent excentrique. Il aime à s'entourer de beaux objets rares, et détient un sens profond de la décoration. Il dépensera des fortunes pour sa garde-robes et en soins esthétiques. La femme du signe ne montrera jamais un ongle cassé ou une robe rapiécée. Le Rat tient énormément, quoiqu'il arrive, à sauvegarder les apparences.

Rancune : Le Rat n'oublie jamais rien. Mais il ne laisse pas la rancune prendre le pas sur ses intérêts. En général, il faut éviter d'encourir la rancune d'un Rat, car il rendra au centuple ce qu'on lui aura fait, et, généralement, de façon spectaculaire. Le Rat secret accumule tout, les bons comme les mauvais souvenirs. Souvent, par sentiment d'être incompris, le Rat laissera s'accumuler les malentendus et éclatera de colère lorsqu'on s'y attendra le moins. Sous ses dehors charmeurs et souriants, sa lucidité peut faire de lui un grand mysanthrope.

Réputation : « Un jour, un Empereur décida de donner en mariage une de ses filles à qui lui rapporterait le plus bel oiseau de l'Empire. Voyant un jeune homme pauvre et beau, une pie décida de l'aider. Elle voyagea dans des contrées lointaines pour trouver des papillons aux couleurs rares et imprégna ses plumes de leurs couleurs merveilleuses. Ainsi parée, elle revint au bord de la fenêtre du jeune homme et lui dit : « Je suis un oiseau de soleil. Donne-moi un abri où la pluie ne pourra jamais ternir mon plumage. Sinon, je deviendrai noir, comme un mauvais présage. » Le jeune homme la crut et apporta son oiseau de soleil à l'Empereur qui lui donna sa fille. Le jeune couple fut heureux longtemps, jusqu'au jour où la pie mourut et fut exposée aux yeux de tous sur un tertre.

Un orage creva le ciel, et la pie redevint noire. La princesse se fâcha : « Cet oiseau merveilleux n'était donc qu'une vulgaire pie voleuse comme en trouve partout dans les arbres ? » Mais l'Empereur fit taire sa fille avec ces mots : « Vous êtes heureux depuis des lunes. Le bonheur a-t-il une couleur ? Cet oiseau vous a offert un amour inégalable, et ses couleurs illuminent vos cœurs. Si l'apparence a fait votre bonheur, c'est que l'apparence peut être le bonheur. »

Ainsi raisonne le Rat mystérieux qui ne se dévoile jamais profondément. Dans le jeu de la vie, il choisit la réputation qui lui semble la meilleure pour parvenir à ses fins, et se moque de savoir qu'il n'est pas apprécié pour lui-même. Il réserve uniquement à celui ou celle qu'il aime la possibilité d'entrevoir sa personnalité intérieure.

Responsabilité : Le Rat est très responsable, surtout envers ses proches. Mieux, il a besoin de se sentir indispensable aux autres comme le plus sûr moyen de les rendre débiteurs et pouvoir leur demander leur admiration à défaut de leur aide... Car il est très difficile d'aider un Rat, puisqu'il ne se dévoile pas.

Ruse : ... «L'homme rusé se montrera sur le chemin de la Voie,
«L'homme qui suit la Voie ne connaît pas la ruse,

詐 «Le sage déjoue les ruses de la Voie.» Rusé à l'extrême, lorsqu'il ne peut appartenir à la dernière catégorie, le Rat sait à merveille se servir de la première ! Sa ruse est un art de vivre...

Sacrifice : Alors qu'il manipule et se joue de tous, le Rat possède une curieuse notion du sacrifice. S'il est vrai que pour ses proches, il peut tout sacrifier, il a néanmoins en tête l'idée qu'il passe sa vie à se sacrifier pour les autres. Chaque jour, il tient la comptabilité de ce qu'il n'a pas pu faire, de ce qu'il a donné de lui-même. Il recherche la reconnaissance des autres à défaut de se sentir compris par eux.

Santé : Le Rat possède une énergie contagieuse et peu commune. Mais deux choses peuvent entraver le circuit de ses énergies vitales : la gourmandise qui menace son cœur, et la nervosité qui l'expose aux maladies psychiques.

Secrets : Animal nocturne, le Rat possède le don de clairvoyance qui le place à part de tous les autres signes. Il agit de façon souterraine et ne dévoile jamais ses pensées, même s'il est le confident idéal des autres. Ses secrets lui pèsent, car il aimerait trouver l'être capable de plonger avec lui dans les profondeurs de sa personnalité complexe pour se sentir enfin totalement aimé et accepté.

Séduction : … «L'homme pense qu'il n'y a que l'amour

«Qui le rende semblable au pouvoir divin.

«Celui qui sait s'attacher les autres par les sens

«Devient temporellement le maître de leur destinée.»…

Le Rat aime le pouvoir. Il sait la force de son charme et de sa persuasion. Rejeté, il devient cruel, parfois mesquin. Séduire est pour lui le plus sûr moyen de communiquer, de se faire aimer et suivre. Il ne séduit ainsi pas seulement par amour, mais souvent pour prouver sa supériorité. La femme du Rat, grande tentatrice, teste sans cesse son pouvoir de séduction sur les autres pour se rassurer elle-même, et brise les cœurs sans pitié !

Sexualité : Dans le Tao, il est clairement énoncé que l'homme doit pratiquer le coït toute sa vie en économisant son sperme. En faisant jouir la femme et en harmonisant leurs souffles, le couple augmentera sa puissance et sa longévité. Les natifs du signe sont réputés de très grands amants. Sensuels, attentifs, généreux, ils aiment faire exulter les corps. Ils devront se méfier de leurs tendances à trop jouer avec le plaisir, ce qui les empêche parfois de pleinement le ressentir. Leur nature inquiète les pousse parfois à mimer le plaisir pour se faire

aimer. Le Tao ne supporte pas ce type de ruse car le Rat croit toujours donner plus qu'il ne reçoit, alors que la sexualité recherche l'harmonieux équilibre.

Timidité : Sous ses dehors fantasques et son franc parler, le Rat est excessivement pudique et réservé quant à ses sentiments réels.

S'il attaque le premier, c'est par peur d'être obligé de se mettre à nu.

Tradition : Le Rat est un anti-conformiste qui ne respecte que les traditions familiales. Il se moque des autres et entend vivre à sa guise et dire ce qui lui plaît, quand ça lui plaît.

Selon la tradition, le Rat devient blanc à cent ans et atteint la sagesse.

Le Rat renverse les mauvaises traditions : on pense en Chine que l'apparition de nombreux rats blancs est le présage de la fin d'un régime tyrannique.

Union entre les signes : Afin de mieux connaître les affinités entre les signes, voici un petit guide des relations entre les animaux. Il est souhaitable, lorsque c'est possible, de jouer sur toutes les combinaisons en y ajoutant les compagnons de voyage.

Car si les signes apparents sont en disharmonie, il se pourrait que les compagnons de voyage s'entendent pour le mieux.

Rat/Rat : Une belle flambée de passion les unit au départ, leur narcissisme se confondant. Mais peu à peu, chacun connaissant les ruses de l'autre, la méfiance s'installe et ils ne dormiront que d'un œil.

La peur de la tromperie les rongera, et au lieu de s'annuler, leurs angoisses existentielles vont se cumuler. Incapables de compromis, ils finiront par se haïr et peuvent en arriver à des actes de violence par insécurité.

Rat/Buffle : L'entente pourra être excellente, car ils ont chacun un très grand sens du respect, de la liberté de l'autre. Le Rat vif et malicieux étonne le Buffle qui admire sa sagacité et s'ouvre un horizon plus vaste. Le Rat, pour sa part, s'étonne chaque jour de la probité et de la capacité de travail du Buffle qui l'entretiendra souvent et le sécurisera. Un beau couple !

 Rat/Tigre : La rencontre de l'énergie et de l'optimiste ! La passion sera instantanée, d'autant que le Rat sait, un temps, garder son indépendance. Mais il risque de souffrir dans son besoin de tendresse, car les sautes d'humeur du Tigre l'insécurisent. Tous deux, très jaloux et possessifs, peuvent finir par s'entretuer, mais leur sens de l'humour et leur goût de l'aventure les sauvent bien souvent du désastre.

Rat/Lièvre : Ils ne peuvent pas se rencontrer tant leurs divergences peuvent les faire souffrir. Le Rat passionné ne peut comprendre l'apparente tiédeur du Lièvre, sans cesse hésitant ; le Rat rêve d'actions et de possessions, le Lièvre d'indépendance et de prudence. Le Lièvre ne trouve pas la sécurité affective dont il rêve auprès du Rat et ne peut répondre à ses questions permanentes.

Rat/Dragon : Quelle entente superbe ! Le Rat s'extasie devant cet animal mythique qui arrive à tant de merveilles. Il est fasciné par son courage et son faste et ne se prive pas de l'admirer à voix haute. Le Dragon flatté, prend ce petit compagnon si drôle et si complice sous ses ailes protectrices, et brille en toute sérénité. Il écoutera les conseils du Rat qui le tempère sans lui faire d'ombre...

Rat/Serpent : Une union très favorable. Le Serpent et le Rat connaissent et usent des artifices de l'intelligence, et partagent un goût immodéré de l'ambition. Une complicité un peu compétitive mais teintée d'humour ironique les pousse à se surpasser ensemble. Ils peuvent trouver une réponse à leur intolérance mutuelle par un échange affectif fructueux ; le Rat se sent compris dans ses désirs et ne craint pas la possessivité du Serpent.

馬 Rat/Cheval : Cette union est si défavorable que les Chinois craignent pour la fatalité qui peut en résulter. Heureusement, ils se fuient mutuellement, le Rat ne supporte pas la superficialité et le verbiage du Cheval qui déteste les cris du Rat et sa façon de mal tolérer les choses. Ils se détestent tant qu'ils ne doivent pas même traiter entre eux.

羊 Rat/Chèvre : La Chèvre devrait fuir ce compagnon avant qu'il ne l'abandonne. Elle cherche refuge et protection, il devient à son contact agressif, secret et caustique. Rien n'agace plus le Rat individualiste que de supporter une Chèvre éplorée qui lui brouille sans cesse les dominos de la réalité où sa ruse excelle. Il a besoin d'un compagnon qui ne dilapide pas son avoir.

猴 Rat/Singe : Le Singe malicieux et ingénieux joue avec le Rat à qui sera le plus malin, quitte à faire exploser une partie du voisinage ! Leur intelligence mutuelle les fascine, et ils peuvent discuter des heures sans se lasser, jouant de leur complicité et de leur complexité mutuelle. Le Rat matérialiste aidera le Singe à ne pas gaspiller trop vite son avoir...

 Rat/Coq : Le Coq s'entendrait bien avec le Rat ! Mais le Rat est totalement allergique au Coq... Le Rat aime vivre ses passions sans les déclamer, agir avec discrétion. Il ne supporte pas ce Coq qui analyse le moindre de ses sentiments, le moindre de ses actes et étale une cartographie de sa vie amoureuse comme un simple graphique. Pour le Coq, ce n'est qu'une banale réflexion, pour le Rat, c'est une violation pure et simple de son intégrité personnelle !

Rat/Chien : Ces deux-là s'entendent à merveille. Le Rat dynamise le Chien et le Chien tempère le Rat. Celui-ci est subjugué par l'intelligence profonde du Chien mais craint de se laisser entraîner par ses visions pessimistes. Mais une profonde confiance l'un envers l'autre les réunit, et le Rat souvent incompris en amour sent que le Chien est capable d'attendre qu'il ouvre son cœur.

Rat/Sanglier : Un superbe duo d'optimisme et de plaisir. Le Sanglier adore ce compagnon si spirituel et vivifiant, et le Rat se sent cajolé et enfin compris dans ses désirs. Mais le Rat risque d'entraîner le Sanglier sur une pente dangereuse qu'ils ne sauront bien remonter... malgré leur ténacité !

Volonté : Le Rat est volontaire et très tenace lorsqu'il s'agit de faire quelque chose qui lui tient à cœur. Sinon, il a l'art de déléguer ses pouvoirs et peut facilement devenir velléitaire.

Voyage : ...«Quelle plus belle partance

旅 «Que celle de la naissance

«De la Vie à la Mort

行 «Je cherche des fleuves d'or

«Où abreuver mon âme

«Assoiffée par l'errance,

«Exaltée du Voyage.»...

Le Rat est à la fois très casanier et aventureux. En fait, il ne reste pas en place là où le quotidien ternit sa vie. Il recherche les émotions nouvelles et sa curiosité insatiable le pousse à travers le monde.

Yin / Yang : Le yin et le yang représentent

陰 respectivement le pôle féminin nocturne, la lune, le froid et l'inconscient

陽 d'une part, et d'autre part, le pôle masculin, diurne, le soleil, la chaleur et le conscient. Leurs rapports sont indissociables et ils sont unis en harmonisant éternellement leurs contradictions.

Ainsi, si le yang domine en vous, vous serez extraverti, très sociable et spontané. Si le yin domine, il vous rendra plus intérieur, lunatique et intuitif.

Le Rat se classe avec les signes yin comme le Buffle, le Lièvre, le Chien, le Sanglier, la Chèvre et le Singe (seul animal à être à la fois yin et yang). Les autres sont yang.

Regardez à quel pôle appartient votre compagnon de voyage. Cela vous éclairera sur les ombres et les lumières de votre personnalité.

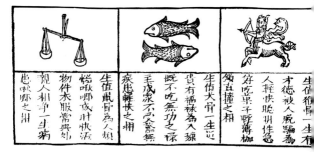

生值牛骨為人性
燒得仕不得綳情
宦典外却人楣傻
有大力在搗之相

生值兔骨為人作
車有頭無尾為夸
少成二十年劳苹
晚本壬富骨離末
不遠古卡州塔末

生值蛇骨為人爱
自在安静心性急
言語傷人一生少
疾輕快心有很毒
泪流幾楣

生值馬骨一生近
貴衣食忌為人不
停老州粧辭自居
屋宅有才根無疾
病快樂動静之相

生值龍骨為人近
貴有大成势居管
閉火発才春夏吉
秋冬不利只府貴
有吉名自在之相

權柄之相
為人近貴有酒肉
將田也宜月立家
分常謀遠有威猛

生值雞竹一生近
近哲人被重不爱
祖生佳佳才飲食
不向粗細病也多
自在尊重之相

生值猶骨一生直
好竹九流之市
有牙爪高名頭追
後状幾縫捞之相

生值羊骨一生
開與上下勤人不
和睦忙急離祖自
于帛口生向老末
富貴近貴之相

觀人相爭一生病
物件衣服常興刅
烧烘哪或针快活
急快哪之相

生值鼠骨為人烟
既不吃無功之禄
貴有福禄之入辣
主成家不出公卷無
疾也輕快之相

生值猴骨一生有
才德被人戰骗為
人輕快被脆明性
符吃單子輕薄枷
魚直搗之相

ASTROLOGIE

Dans la tradition populaire et agricole chinoise et au Viêt-Nam, le temps se calcule avec les lunaisons (ce qui n'est pas le cas exact du calendrier officiel des Empereurs de Chine sur lequel se fondent les années astrologiques. Des erreurs ont ainsi été commises dans certains ouvrages de vulgarisation, confondant les lunaisons des paysans chinois avec le calendrier officiel !).

Cette tradition donne à chaque lune chinoise un nom d'animal ; les enfants nés sous ces lunes sont imprégnés du caractère de l'animal lunaire du moment : c'est ce que l'on appelle l'ascendant lunaire. Cet ascendant jouera sur votre activité.

Or, ces lunaisons correspondent assez exactement à la répartition des signes du zodiaque occidental. Regardez donc dans le tableau ci-dessous quel est votre ascendant lunaire. Par exemple, si vous êtes du Verseau, vous êtes né sous la lune chinoise du Tigre qui contrôlera vos activités. Vous saurez donc que vous avez du Tigre yang élément stable bois à ajouter à votre signe et à votre compagnon de voyage.

Si vous êtes né entre les :	Ascendant lunaire	Équivalent occidental
21 janv. - 19 fév.	**Tigre**	**Verseau**
20 fév. - 20 mars	**Lièvre**	**Poissons**
21 mars - 20 avril	**Dragon**	**Bélier**
21 avril - 21 mai	**Serpent**	**Taureau**
22 mai - 21 juin	**Cheval**	**Gémeaux**
22 juin - 22 juil.	**Chèvre**	**Cancer**
23 juil. - 23 août	**Singe**	**Lion**
24 août - 23 sept.	**Coq**	**Vierge**
24 sept. - 23 oct.	**Chien**	**Balance**
24 oct. - 22 nov.	**Sanglier**	**Scorpion**
23 nov. - 21 déc.	**Rat**	**Sagittaire**
22 déc. - 20 janv.	**Buffle**	**Capricorne**

Maintenant, vous comprenez mieux que nos astrologies puissent se compléter, car le lien existe déjà. Ce grand portrait se termine, mettant en rapport votre signe astrologique occidental avec votre animal chinois.

Rat/Bélier : Le Bélier fait oublier toute prudence au Rat. Ce natif est rongé par une terrible angoisse de la vie, et il court après le temps. Il veut marquer son passage partout où il passe d'un poinçon indélébile. Dominateur, excessif, dictateur même, ce Rat ne supporte aucune contradiction. Persuadé d'avoir raison en tout, il ne comprend guère la lenteur des autres. Il veut surtout être reconnu et aimé, voire adulé. La reconnaissance des autres lui fait office de preuve de son existence, et il ne supporterait pas de se montrer faillible à ses engagements. C'est un homme de parole, arrogant, fier, généreux avec ostentation et, en fait, un homme de cœur. Il rêve de princes et de princesses à délivrer, d'amours impérissables et s'angoisse à l'idée de l'échec.

Rat/Taureau : Le Taureau lent, matérialiste, sensuel et artiste vient apaiser la nervosité du Rat. Il prend le temps de se donner toutes les chances de réussir sans se mettre inutilement en danger. Prévoyant, parfois même trop, il amoncelle ses biens, spécule sur les manques à venir et se met à l'abri du besoin. Ce natif a besoin d'une grande aide morale pour réussir car il est hypersensible et ne laisse pas toujours son tempérament artistique s'épanouir. Conforté par les siens dans une ambiance sans heurts, il devient très responsable et sera le garant d'un équilibre harmonieux. Incapable de se soumettre à une quelconque autorité, il a du mal à devenir son propre maître dans un monde où tout va trop vite pour lui. Gai, accueillant, tendre et chaleureux, ses colères peuvent être pourtant spectaculaires.

Rat/Gémeaux : Le Gémeaux aérien, libre, volatile, ne peut stabiliser le Rat. Il lui retire cependant un bon nombre d'angoisses existentielles. Par contre, il possède comme lui le goût de l'éclectisme, du brillant. Ce natif se fait une vie en trompe l'œil, sans cesse oscillant entre deux projets, entreprenant et éparpillé, c'est un homme orchestre. Il désire ardemment plaire et c'est un séducteur acharné. C'est sans doute à cause de ses immenses talents et capacités en tout qu'il a du mal à se fixer, persuadé qu'ailleurs, la chance lui sourirait encore plus. Drôle, brillant, parfois superficiel, ce natif donne l'impression de traverser la vie sans la prendre au sérieux, en grand comédien des apparences. Curieux de tout, il ne voit pas le temps passer.

Rat/Cancer : Le Cancer évolue dans le Rat comme dans son élément. Ce natif ne vit pas de grandes contradictions internes. Mais le Rat ne peut s'empêcher d'avoir peur des émotions profondes que le Cancer lui donne à vivre. Sous ses airs froids et impassibles, il possède un cœur d'or, intuitif, avec une sensibilité à vif. Il a besoin de construire un foyer solide et sera un hôte charmant, prévenant et… quelque peu maniaque. Sa peur de l'existence, il la matérialise dans la création artistique où il peut donner forme et matière à ses angoisses. Parfois capricieux, s'il semble très préoccupé par sa personne, c'est qu'il ne se voit jamais grandir et craint l'abandon. Il s'attèle alors à faire une forteresse de son foyer où il apporte calme et gaîté.

Rat /Lion : Une véritable tornade d'énergie, un flux intarrissable de paroles et aussi un puits de sciences ! Ce natif n'est pas de tout repos… Il lui faut briller, être le premier partout, exhiber ses richesses tout en les administrant de main de maître. De plus, il possède un charme ravageur qui en fait un séducteur irrésistible. Trop pour un seul natif ? Hé oui ! C'est sans doute pour cela qu'il n'a pas le temps de connaître ses vrais désirs, ses vrais amours et peut se sentir insatisfait et parfois amer. Il déteste la solitude que lui vaut son désir des hauteurs. Mais une fois sa place conquise, à force de critiques acerbes et de goût du pouvoir, il montre ses faiblesses et quémande de l'affection…

Rat /Vierge : Ces deux thésauriseurs méticuleux associés, on peut imaginer les rêves du natif en forme d'ordre, de placements, de taux d'intérêts. Ce natif craint par dessus tout les pique-assiettes, et ne donne qu'à sa famille qui peut être sûr de ne jamais manquer de rien. Caustique, pince sans rire, il possède un sens de l'humour vitriolé qui n'épargne personne. Travailleur acharné, il ne supporte pas de perdre son temps ni de dévier de sa route. Le Rat donne de l'ambition à la Vierge, la Vierge donne de la mesure au Rat. Mais sous ses airs parfois un peu puritains, collet monté, le natif déborde de sensualité et est parfaitement capable de laisser routine, compte en banque et horaires pour brûler des passions sous les tropiques...

Rat/Balance : Le Rat a déjà l'habitude d'analyser les situations à haute voix et devant une grande assemblée. La Balance n'en finit pas de discourir sur leurs états d'âmes, sur la beauté et les merveilles du monde... Le natif hésite, disserte, recherche l'approbation de tous à grands renforts de démonstrations affectives. Le Rat se sent-il incompris ? La Balance lui montrera le labyrinthe des sensations qui le poussent à être rejeté. Mais le natif possède un charme peu commun et l'art de rendre séduisant le taudis le plus infâme avec un carré de tapisserie et surtout son sourire. Il n'aime que l'harmonie, le luxe, les professions où les échanges sont favorisés sur des niveaux intellectuels élevés.

Rat/Scorpion : Une combinaison magnétique, extra-lucide et d'une rare intelligence. Un tel natif ne doit jamais être pris à la légère. Perspicace, il dévoile les secrets enfouis, éclaire les zones d'ombres. Chacun se sent un peu mal à l'aise face à ce visionnaire qui a l'air de tout savoir, jusqu'aux plus infimes détails. Il ne le fait pas par goût du scandale, loin de là, bien que beaucoup voient en lui un semeur de trouble. Il le fait par goût de la justice, par un désir irrépressible de montrer le monde tel qu'il est ! Découragé, il peut avoir de grands accès de violence et détruire en une seconde le travail de plusieurs mois. Ses conseils, même s'ils sont durs à admettre, sont justes et réfléchis. Il faut essayer de le comprendre, et suivre ses paroles ; elles sont toujours avisées et sérieuses.

Rat/Sagittaire : Le Sagittaire apporte au Rat charmeur et intelligent son goût de l'aventure, son dynamisme et sa bonne humeur contagieuse. Il semble que rien, aucun obstacle ne puisse faire peur à ce natif qui déjoue les problèmes les plus difficiles avec une facilité déconcertante. Idéaliste, intellectuel, il aime claironner les vérités qu'il recherche ou qu'il a apprises sur le monde. Son plus cher désir est de prendre le plus de place possible en y entraînant les foules. La persévérance du Rat vient aider à point la force expansive du Sagittaire. Il ne faut

jamais tenter d'enfermer un tel natif : la folie le guetterait. Incapable de rester en place, il faut que ceux qui l'aiment le suivent partout où il va, dans cette grande fête de la vie qu'il sait si bien rendre publique.

Rat/Capricorne : Le Capricorne est lent, réfléchi, parfois taciturne ; il n'entreprend rien à la légère et déteste le risque. Allié au Rat, ce natif sera un être secret, opiniâtre, lent à se mettre en route mais qui par la suite déjouera tous les obstacles. Sa méfiance légendaire lui permet de bien cerner les problèmes et les risques pour éviter d'y sombrer. Inquiet de nature, il a un grand besoin d'encouragement et d'amour. Mais sa nature excessivement pudique l'empêche d'exprimer ses besoins affectifs. Avec beaucoup de doigté, on peut apprivoiser ce natif qui se révèlera un compagnon intelligent, tendre et prometteur. Il déteste le mensonge, et veut une limpidité totale dans les rapports qu'il instaure avec autrui. Il peut se confier, mais veut rester seul maître de sa destinée.

Rat/Verseau : Quel alliage détonnant et surprenant ! L'intelligence clairvoyante du Rat se met sous la tutelle du Verseau totalement tourné vers le futur et le progrès de l'humanité. Ce natif, en quelques mots, est tout bonnement inviable pour qui souhaite un foyer nor-mal et stable pourvu d'une famille à élever et à nourrir. Car ce natif ne connaît rien du quotidien ! Il veut améliorer le sort des masses, pas celui de son propre microcosme. Sociable à l'extrême, il n'ouvrira pas la bouche pour féliciter l'un des siens. Les cas particuliers ne l'intéressent pas. Il invente à chaque instant des remèdes miracles, des solutions géniales, mais ne sait (et ne veut pas savoir) planter un clou dans sa maison. Idéaliste, un peu fou, il est quand même très attachant...

Rat / Poissons : Une alliance de clairvoyance, dans les méandres de la duplicité. Plus que tout autre natif, il a un intense besoin de sécurité affective et matérielle. Pourtant, c'est dans les pires moments de son existence que ce natif démontre des capacités de survie instinctives, insoupçonnées ! Généreux, il donne beaucoup de lui-même... mais en attend implicitement autant si ce n'est plus en retour. L'air vague, toujours entre deux rêveries, il semble fragile et insaisissable. Le monde des affaires n'est vraiment pas fait pour lui. Par contre, il peut, grâce à son intuition et son imaginaire futile, devenir un créateur de génie. A la fois angoissé et fasciné par son monde intérieur, il ne peut l'exorciser qu'en le racontant interminablement à des oreilles compatissantes. Mais quel charme !

Heure d'été de France
de 1916 à 1940

Du 14 juin au 1er octobre 1916 :	1 h
Du 24 mars au 7 octobre 1917 :	1 h
Du 9 mars au 6 octobre 1918 :	1 h
Du 1er mars au 5 octobre 1919 :	1 h
Du 14 février au 25 octobre 1920 :	1 h
Du 14 mars au 25 octobre 1921 :	1 h
Du 25 mars au 7 octobre 1922 :	1 h
Du 26 mai au 6 octobre 1923 :	1 h
Du 29 mai au 4 octobre 1924 :	1 h
Du 4 avril au 3 octobre 1925 :	1 h
Du 17 avril au 2 octobre 1926 :	1 h
Du 9 avril au 1er octobre 1927 :	1 h
Du 14 avril au 6 octobre 1928 :	1 h
Du 20 avril au 5 octobre 1929 :	1 h
Du 12 avril au 4 octobre 1930 :	1 h
Du 18 avril au 3 octobre 1931 :	1 h
Du 16 avril au 1er octobre 1932 :	1 h
Du 26 mars au 8 octobre 1933 :	1 h
Du 7 avril au 6 octobre 1934 :	1 h
Du 30 mars au 5 octobre 1935 :	1 h
Du 18 avril au 3 octobre 1936 :	1 h
Du 3 avril au 2 octobre 1937 :	1 h
Du 26 mars au 1er octobre 1938 :	1 h
Du 15 avril au 18 novembre 1939 :	1 h
Du 24 février au 15 juin 1940 :	1 h

de 1940 à 1945 zone libre

Du 25 février 1940 au 4 mai 1941, 23 h :	1 h
Du 4 mai 1941, 23 h au 6 octobre 1941, 0 h :	2 h

Du 6 octobre 1941, 0 h au 8 mars 1942, 24 h :   1 h
Du 9 mars 1942, 0 h au 2 novembre 1942, 3 h :   2 h
Du 2 novembre 1942, 3 h au 29 mars 1943, 3 h :   1 h
Du 29 mars 1943, 3 h au 4 octobre 1943, 3 h :   2 h
Du 4 octobre 1943, 3 h au 3 avril 1944, 2 h :   1 h
Du 3 avril 1944, 2 h au 8 octobre 1944, 0 h :   2 h
Du 8 octobre 1944, 0 h au 2 avril 1945, 2 h :   1 h
Du 2 avril 1945, 2 h au 16 septembre 1945, 3 h :   1 h

zone occupée

SOUSTRAIRE

A Paris : du 15 juin 1940, à 11 h   2 h
A Bordeaux : du 1er juillet 1940, 23 h
               au 2 novembre 1942, 3 h   2 h
A partir du 2 novembre 1942 : comme en zone libre.

de 1945 à 1976

Retrancher 1 heure quelle que soit la date de naissance.

Depuis 1976

Retrancher 1 heure. Sauf pour les périodes suivantes, où vous retranchez 2 heures.

1976 :	du 28 mars, 1 h	au 26 septembre, 1 h
1977 :	du 3 avril, 2 h	au 25 septembre, 3 h
1978 :	du 2 avril, 2 h	au 1er octobre, 2 h
1979 :	du 1er avril, 2 h	au 30 septembre, 3 h
1980 :	du 6 avril, 2 h	au 28 septembre, 3 h
1981 :	du 29 mars, 2 h	au 27 septembre, 3 h
1982 :	du 28 mars, 2 h	au 26 septembre, 3 h
1983 :	du 27 mars, 2 h	au 25 septembre, 3 h
1984 :	du 25 mars, 2 h	au 23 septembre, 3 h
1985 :	du 31 mars, 2 h	au 29 septembre, 3 h
1986 :	du 30 mars, 2 h	au 28 septembre, 3 h

Index

Achevé d'imprimer le 2 mars 1989
sur les presses de
Printers à Trento (Italie).
Relié par L.E.G.O. à Vicenza (Italie).

OUR RAINBOW QUEEN

For Nicola Ridings Watson

OUR
RAINBOW
QUEEN

SALI HUGHES

◨ SQUARE PEG

INTRODUCTION

My earliest memory is of sitting in a high chair in the street, semi-stuck to its plastic seat by the rubber pants over my terry-cotton nappy, surrounded by grown-ups and children in paper crowns, while I was fed some unidentifiable goo on a plastic spoon. I didn't realise until later that I, along with the rest of my South Wales Valleys community, and the whole of Britain, had been celebrating Queen Elizabeth II's Silver Jubilee.

The next time I saw the Queen, I knew it. I was six years old and at another street party, this time in Yorkshire, wearing a home-made bonnet made from a disposable buffet plate and red, white and blue crêpe paper, watching the wedding of Prince Charles and Lady Diana Spencer on a television wheeled on an extension lead into a relative's back garden. As the carriages arrived and commentators speculated impatiently on the bride's frock (massive, creased, fairy tale but quite brilliantly of its time), I couldn't take my eyes off the middle-aged monarch in turquoise pleats and a floral hat even my own nan might consider 'a bit old'. As she travelled along the Mall, making a gesture I didn't recognise as a wave, I thought her marvellous, hypnotic, enchanting. And so – rather improbably for the daughter of committed republicans who'd frankly attended street parties only for the booze – began my lifelong obsession with the Queen. These two vivid memories always strike me as odd because, like my parents, I am neither a royalist nor even, in all honesty, much of a patriot.

It's one thing to spend each weekend sitting with your grandmother reading Ladybird books on the royal family, holding up a viewfinder to the window and clicking through scratchy photographs of the Queen's royal tours, and charting your favourites according to the frock and hat in each, but quite another to be a politically left-leaning adult who can see no compelling argument for the existence of a monarchy (but at the same time, be unmoved by republicanism as a cause, and be in an almost permanent state of fury at our elected representatives) who still absolutely and unapologetically loves our unelected head of state.

It's perhaps more baffling still as to how someone like me, who's made a career from a love and knowledge of fashion, beauty and style, would not count Princesses Margaret or Diana, Duchesses Catherine or Meghan, as her role models, but the royal family member least celebrated for her sense of style: its head. Prim twinsets and matronly kilts, mother-of-the-bride-style duster coats, practical wellies with waxed jacket and headscarf, impeccable military uniform, sensible block heels and the same black handbag with everything – high fashion items, these are not.

By contrasting example, the late Princess Margaret, a royal without portfolio, was often the main attraction, and delighted in high fashion and statement clothing in a way her sister, even if naturally so inclined, could not. Her destiny altered profoundly with the abdication of her uncle, her young life made earnest, focused, dutiful and no doubt less fun, Elizabeth could not, as her sibling did, be seen to take a private plane to Paris purely in order to try on Christian Dior's New Look. She couldn't wear skirts above the knee, necklines that plunged, spend conspicuously large amounts of taxpayers' cash on up-to-date fashions. Instead, the Queen – while certainly in possession of a wardrobe of high luxury and priceless value, at least had to give the appearance of relative restraint, empathy for her subjects, modesty and common sense, and she has adhered to the same principles throughout her reign. Outfits – the dates of their appearances logged onto a spreadsheet to space evenly over time – are worn repeatedly. Hats are worn at least ten times in public before being retired. Shoes are continually re-heeled until no longer fit for purpose. Favourite countrywear and riding gear is worn for decades, their free replacement refused. Even the Queen's own wedding dress was bought using ration coupons, and when her chosen design exceeded her fabric quota, brides-to-be all over the country sent her their spares (she returned them all on the basis that transferring ration coupons was not strictly legal).

But the Queen is driven by duty, and this in turn guides her wardrobe choices as it does every other decision. She wears bright colours because she believes it's her duty to be seen by the people who've waited, wet and cold, behind barriers for hours at a time. She prefers three-quarter-length sleeves because she believes it is her duty to wave at well-wishers for several hours unimpeded. At international events, she chooses colours that imply no allegiance to a single flag, because she believes it is her duty to be neutral and respectful to all nations. She wears a single corrective shoulder pad because she believes the monarch should stand straight before her subjects. Everything must be hemmed with curtain weights to avoid the vulgarity and humiliation of what we now refer to as 'up-skirting'. Clothing is not simply for Elizabeth II herself, but for the monarchy, and it must uphold its highest standards. The Queen's job is to be smaller than the throne and she has always understood this perfectly.

The Queen's most faithful suppliers are rewarded. Royal warrants are key for designers, retailers and other fashion and beauty houses, who can apply for an entitlement to display the royal arms on their shopfronts, websites and marketing materials only when they have supplied the royal household (specifically the Queen, Duke of Edinburgh or Prince of Wales) with goods or services for at least five years out of the last seven, including during the last 12 months. The warrants, renewed or expired every five years, are currently held by some 800 businesses across trade and industry, many of them in fashion, from Cornelia James, which provides the white cotton day gloves and nylon evening gloves the Queen changes several times a day when on duty, to the brilliantly named Corgi Socks, who, alas, do not supply hosiery for Vulcan and Candy, Her Majesty's two remaining dogs. In beauty, Yardley, Floris, Clarins, Elizabeth Arden and Molton Brown all get the royal seal of approval for their perfumes, skincare, cosmetics and toiletries, while Launer (the makers of some 200 of the Queen's handbags) has proudly held its warrant for over five decades.

However long their association with the Queen, holders of a royal warrant must adhere to a code of conduct in return for the prestigious association, and they dishonour it at their peril. Holders must never claim or imply any exclusivity and while their association with the palace may be overt, the details of their working relationship should remain suitably discreet. In 2018, June Kenton, director of Rigby & Peller, the long-time suppliers of corsetery and lingerie to the Queen, Queen Mother and Princess Margaret and holders of a royal warrant since 1960, wrote a book entitled *Storm in a D-Cup*, in which its author revealed details of her unarguably sensitive work with the palace. The company, perhaps inevitably though without explicit explanation, saw their warrant cancelled soon after. One can't help but wonder what on earth else they expected.

What one might not instinctively imagine, but what holders of the warrant know to be true, is that the Queen's style remains relevant from a cultural standpoint and consequently still very much shifts stock. In 2016, during her 90th birthday celebrations, the Queen's neon-green suit worn to Trooping the Colour launched a trending Twitter hashtag #NeonAt90, and it is claimed that in the days that followed, sales of neon-coloured clothing and accessories rose sharply by 137%. Five years earlier, Her Majesty had carried a beige Launer handbag into Westminster Abbey for the wedding of Prince William and Catherine Middleton and, almost instantly, Selfridges sold out of all Launer bags. Here but especially overseas, the Queen's wardrobe choices convey to a brand a sense of quality, endurance and quiet luxury. In fact, her lack of interest in fashion for its own sake works in her favour.

And yet the Queen most certainly knows what works. Her love of 'colourblocking' – the wearing of a single-colour outfit, seen throughout this book – is born from practicality. She understands her job is to be seen and, standing at just 5'3" (I know the feeling), needs all the help she can get. A dresser's attempt to modernise her wardrobe for her Canadian Tour of 1970, on which she wore slacks, was unsuccessful. Trousers have made not a single official appearance since (again, I relate). She prefers dresses to skirts, because they're more comfortable and she has no time to tuck in and straighten up whenever she exits a car, won't wear green to grassy venues, nor dark colours against dark upholstery, and will not entertain a heel higher than 2.25 inches (okay, this is where we must part company).

Behind every famous clothes horse, there is, invariably, a tastemaker or stylist at the reins. The Queen is no exception, though her official dresser, Angela Kelly, downplays her role. Her CV is modest, but her influence and expertise, huge. The Queen discovered Liverpudlian Kelly – over 40 years her junior – while she worked as housekeeper to the British Ambassador to Germany and soon offered her a job. Kelly rose fairly swiftly through the ranks to become the Queen's personal dresser and now, along with her team, selects, maintains and archives her clothing, shoes and accessories, even designing and making much of it herself (milliner Rachel Trevor-Morgan and designer Stewart Parvin are among the Queen's favourites outside of the palace). It was at Kelly's suggestion that her employer joined forces with the British Fashion Council in 2018 to found the Queen Elizabeth II Award for British Design, resulting in the Queen's first ever appearance at London Fashion Week and an already iconic photograph of Elizabeth II sitting front row at Richard Quinn with US Vogue editor Anna Wintour, who, marvellous though she is, did not remove her sunglasses while conversing with the Queen. Call me old-fashioned, but who keeps on their shades while speaking to any woman in her nineties, royal or not?

Significantly, the award was founded 'to recognise emerging British Fashion Talent, to provide a legacy of support for the industry in recognition of the role fashion has played throughout the Queen's reign and continues to play in diplomacy, culture and communication', and I think this crystallises why the Queen's style is so hugely impressive to me. What she cannot overtly say with language, she secretly says with clothes. Truly, Elizabeth II's quiet, devastating trolling through fashion could inspire an assassin. The coded handbag positioning, signalling to staff that some dignitary is now rather quacking on. The European blue and yellow worn to open a post-Brexit-referendum Parliament. The polite silk head covering while she bombed around in a Land Rover, a mortified then Crown Prince Abdullah of Saudi Arabia having to sit next to a female driver for the first time in his life. The wearing of a Barack and Michelle Obama-gifted brooch for a meeting with Donald Trump, for which the 45th US president arrived, staggeringly, twelve minutes late and blocked his 92-year-old hostess's pathway so she had to scuttle around him.

We will, of course, never know what is calculated and what is delicious coincidence. Because like fellow British style icon, Kate Moss, our inscrutable Queen never complains, never explains. And that, to me, is her great appeal. In an age of oversharing, when vloggers propose marriage to one another on YouTube and Z-listers share their breakfast, lunch and dinner with millions, I am comforted by the Queen's constant dignity and mystique. I love that we can only speculate as to what's in her handbag, don't know what she wears to bed, what is engraved on the inside of her wedding band, or even what she thinks about most things. I admire the stoicism, restraint, the self-control and stiff upper lip. It means that when a tiny private detail does slip through the net (like her insistence to a former First Lady that lipstick can be applied publicly at lunch – right on, QEII), it still gives me a thrill, just as it did in childhood.

I dread losing the Queen because, to me, she represents a sturdy, dutiful, unselfish type of woman that is fading from British culture. Those women who look as though they could build a roaring fire, pluck a grouse and lamb a sheep without breaking a sweat inside their Barbour. She is the only public figure I cannot remember not being there. She has always been present – solid, dependable, appropriate. It's entirely correct that she is now officially Britain's longest-reigning monarch. And how utterly fabulous that she did it in leopard, flowers, tartan and neon.

Sali Hughes,
December 2018

RED

Queen Elizabeth II has seen red almost every day of her reign. The bright scarlet correspondence boxes delivered to her each morning, the tunics of the guards outside Buckingham Palace, the walls of the throne room and state dining room at Buckingham Palace. Bold scarlet and rich maroon have featured in her public engagements, too. She is keen on rich red tweeds and wool bouclé in crimson, cherry and burgundy. Sadly the occasional slash of red lipstick has been retired.

Queen Elizabeth II accompanied by Walter Scheel, then president of the Federal Republic of Germany, wears national colours of black and red to inspect a guard of honour in Germany, 1978.

Even when taking tea at home with commoners – in this case Mrs Susan McCarron, her ten-year-old son, James, and Housing Manager Liz McGinniss in the Castlemilk area of Glasgow in 1999 – QEII does not remove her coat. She is never seen to do so in public.

Inspecting a guard of honour during her Silver Jubilee visit to Scotland in May 1977. Note that the usual white gloves have been replaced with black, so as not to mimic the military uniform, or to indicate the incorrect rank.

2015 Christmas Day church service at Sandringham. The Queen holds her signature Fulton transparent 'Birdcage' brolly (she has dozens, each with a different custom-coloured border to complement all outfits), so as not to obscure her face to crowds.

The Queen arrives at
the races in Riyadh in
spring 1979. It is usual
for her dresser to travel
ahead to ensure clothing
adheres to local customs
and complements and
flatters individual locations
and backdrops. Here, a
scarlet frock and jacket
with black accessories
match the traditional
red-and-white ghutra
headwear of her hosts.

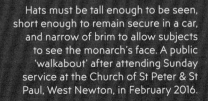

Hats must be tall enough to be seen,
short enough to remain secure in a car,
and narrow of brim to allow subjects
to see the monarch's face. A public
'walkabout' after attending Sunday
service at the Church of St Peter & St
Paul, West Newton, in February 2016.

Riding pillion at Trooping
the Colour, 1979, in the same
traditional red tunic worn
by the Queen's foot guards.
The bearskin busby is made
more feminine and decorative,
and is unique to her.

No non-ceremonial fancy diamonds before 6pm, ever.

At Cambridge University,
March 1996. The Queen owns
hundreds of square silk scarves –
many of them custom-made –
by French luxury house, Hermès.

In a red pencil suit with black accessories and, unusually, a bold red lip, the Queen visits Lord Roberts's workshops in London's Kensington, November 1960.

Greeting the public as she attends
the Maundy Service in Hereford,
April 1976. Outfit colour may change
yearly, but the purses distributed
are always white and red.

November 1983. Visiting the Indian National Defence Academy in Pune, wearing red, a colour signifying power, strength and prosperity in Indian culture.

St Petersburg in October 1994. The Queen frequently chooses clothes to match a host nation's flag. Russian Red became a less contentious choice post-glasnost.

Attending a service for the Order of the British Empire at St Paul's Cathedral in March 2012. The Queen typically wears this satin robe, gold collar and blue cross badge only once every four years.

Attending the Dubai Duty Free Spring Trials meeting at
Newbury Racecourse in April 2014.

The gloves are off. Later that same day, at home in Windsor, minus hat, specs, gloves and bag. The Queen and Duke of Edinburgh had been dining with then Irish President Michael D. Higgins and his wife Sabina, and so accordingly, gloves would have been removed, finger by finger, and placed discreetly on the lap, under her napkin.

ORANGE

Tangerine can be tricky to wear, but it hasn't deterred the Queen. Orange is, in fact, a handy colour for international events, since it appears in few flags (India is a notable exception) and is consequently a safe bet when conveying neutrality is tactful. Burnt or bright orange suits her well, but she looks especially good in softer peaches and corals, which flatter all skins and ages and conveniently look fabulous with diamonds.

Opening the New Welsh National Assembly building in Cardiff Bay, 2006. The Queen has been criticised in the past for wearing real fur, especially a full-length mink, her favourite since 1961. Notably, a faux-fur alternative to the iconic bearskin headgear worn by the Queen's Guards is in development, at PETA and designer Stella McCartney's suggestion.

Queen Elizabeth II at the Quirinale Palace, Rome, October 1980. Women who enter the royal family as commoners never wear tiaras before marriage (royal brides, like the Duchesses of Cambridge, Wessex and Sussex, typically borrow one from the Queen to wear on their big day, as did the Queen's daughter, Anne, the Princess Royal).

Attending Sunday service near Sandringham, January 2014. Angela Kelly, the Queen's dresser since 1993, says her boss is an expert in fabrics. 'It has not been a question of me teaching the Queen – it has been the other way around.'

White gloves and white picket fences. The Vivari Queen's Cup Final, June 2007, at Guards Polo Club. This, like all of the Queen's public outfits, would first have been weather-tested by Angela Kelly – with the help of a powerful fan to mimic high winds. All the Queen's hemlines are weighted down to make for a smooth silhouette and no blustering skirts.

Queen Elizabeth honours the Indian flag with an orange-and-white outfit for a 1997 visit to Raj Ghat, the site of Mahatma Gandhi's cremation.

Wearing a peach gown, circa 1980 – some three years after *Abigail's Party*.

In Stabilo highlighter pen orange, at a reception to mark the 80th anniversary of the Royal Auxiliary Air Force, London.

In 1983, during her tour of Canada, where the wearing of fur is less controversial, and where bearskins for the Royal Guards' helmets are sourced.

The Queen's favoured companion, a black patent leather Traviata handbag, attends a Christmas Day service at St Mary Magdalene Church on the Sandringham estate. The bag's maker, Launer, has held a royal warrant since 1968, since which QEII has amassed a collection of around 200 bags, each costing approximately £1,500.

A very rare sighting of the Queen's arms at a performance at RADA, London, November 1964. Dress gloves take the curse off and restore modesty.

The Queen, accompanied by the Duke of Edinburgh, travelling in an open-topped car towards Buckingham Palace for the 2002 Golden Jubilee celebrations. The three-strand, diamond-clasp pearl necklace (an Elizabeth II signature) is likely one given to her by the Emir of Qatar for her coronation in 1953 (postponed to allow Britain and the royal family a mourning period following the death of George VI). Her wedding band features a personal inscription that has remained a secret between the consort and his wife.

On a walkabout in
Australia, October 1981.
The Queen's Launer
handbags are custom-
made to ensure optimum
handle drop for smooth
handshaking, comfortable
carrying and unencumbered
posy-collecting.

Wearing a silk headscarf and orange coat to the polo at the Guards Polo Club in Windsor, June 1985. Brooches worn anywhere other than close to the left shoulder (thus allowing for Remembrance poppies to always be worn on the right) are decidedly non-U.

Attending the Christmas Day
2017 church service at the
Church of St Mary Magdalene,
in a burnt-orange coat.
The gloves will be just one
of the pairs carried by the
Queen's ladies-in-waiting.
As well as spare gloves,
they are said to travel with
spare tights, sewing kits and
lavender-scented cloths in
case of extreme heat.

Banishing back-to-work blues in a bright Hermès headscarf and satsuma coat. The Queen boards a return train to London after her 2017/18 Christmas break at Sandringham.

YELLOW

Primrose, marigold, lemon and
daffodil – the Queen understands
what woefully few of us realise –
yellow flatters everyone. She wears
yellow frequently, particularly in
spring, when she embellishes it with
flowers and accents of blue. She has
worn yellow gold, one of Australia's
national colours, on every royal tour
of that country and she wore it to the
wedding of her grandson, William.

Pink or blue? The Queen hedges her bets for a visit to Glasgow's Royal Maternity Hospital in the summer of 1962. Daisies, traditionally given to new mothers, are symbolic of childbirth and motherhood. Truly, there are few coincidences in the Queen's working apparel.

Washed-out primrose, punctuated by neon-pink accessories and lipstick for Derby Day. The Queen watches the racing from the balcony of the Royal Box at Epsom Racecourse in June 2015. Since 1998, her hair has been styled by Ian Carmichael, sometimes based at the in-house salon at London's Dorchester hotel, who was made a member of the Royal Victorian Order by his favourite client.

Attending a state banquet hosted by President Ivan Gašparovič at the Philharmonic Hall in Slovakia, October 2008. The Queen wears a tiara only for state events, and reserves predominently diamond jewellery strictly for evening engagements (hence the upper-middle-class phrase 'diamonds in the daytime' as a withering and dismissive description of a more vulgar member or interloper).

Canada, July 1976. Queen Elizabeth II always wears gloves for walkabouts, to protect her hands from germs. Her former daughter-in-law, Diana, Princess of Wales, rejected the custom to minimise perceived distance between her and the public.

Attending the Commonwealth Day Service at Westminster Abbey in London, March 2017. The yellow (her preferred colour for Commonwealth events) and sunburst feather plumage are likely a nod to the Commonwealth of Nations flag.

In Mexico during the 1975 state visit, wearing a polka-dotted frock and turban in buttercup. Until the early 1990s, the Queen routinely had her hair coloured in a shade named Chocolate Kiss.

Reviewing troops on her arrival in Brisbane, Australia during her jubilee tour of spring 1977. Fuschia lipstick – probably by royal-warrant-holding Clarins or Elizabeth Arden – brightens pastel ochre polka dots.

A silk-sheathed handshake at a German banquet in May 1978. Mayfair glove purveyor Cornelia James has held a royal warrant ever since.

The Queen is apt to let her brooches do the talking.
Here, she attends a summer 2010 reception to
celebrate the centenary of the Canadian Navy and
to mark Canada Day, wearing an elaborate pin
featuring the maple leaf – the Canadian national
emblem. As well as some three-strand pearls, naturally.

With Prince Philip, at a 1979 dinner in Dubai. Sunny yellow chiffon is weighed down by serious diamond jewellery, including the Star of the Order of the Garter.

Despite conducting most royal duties in Cornelia James gloves, the Queen still removes the right-handed one for any writing, including the obligatory entry in visitors' books. Nails are always either bare or painted in Essie's Ballet Slippers, a soft, palest pink. Meghan, Duchess of Sussex, was criticised in 2018 for breaking royal protocol with a dark, lacquered manicure.

In Muscat, Oman, with Sultan Qaboos in February 1979. The Queen is said to always carry a small camera in her handbag, for the impromptu taking of private snaps.

In a turban-style yellow-and-turquoise hat, pearls and simple jacket on the royal yacht at Portsmouth Dockyard, August 1996...

...If it ain't broke, don't fix it. At Royal Ascot twelve years later, in an almost identical scheme and the same beloved pearl necklace and earrings.

In Southampton, circa 1986, in a yellow and navy outfit by Ian Thomas who, as a junior designer, had assisted Norman Hartnell in making the coronation robes. Thomas also designed and made the ensemble worn by one of the Queen's likenesses at Madame Tussauds in London.

Another Derby Day at Epsom Racecourse, in June 1985. The jockeys riding Her Majesty the Queen's horses wear silks of gold, purple and red, some of her favourite colours.

GREEN

The Queen loves every shade of green
– from bottle and British racing to fresh
lime and elegant chartreuse – but is
careful about where she wears it.
She won't attend an engagement
at a grassy venue, like a racecourse
or garden party, in camouflaging green,
but will happily deploy green to stand
out where it's needed. On her official
90th birthday, the Queen went large
in zingy neon lime, while her closest
family surrounded her in respectful
nudes and neutrals.

At Epsom Racecourse for Derby Day, 1962, which coincided with her 10-year anniversary as Queen. The white floral cap was a style made famous by actress Elizabeth Taylor, and the pale sage bouclé coat features the signature raised neckline of the period.

Still working the green, white and diamonds over five decades later in 2016, at a beacon-lighting ceremony in Windsor to celebrate her 90th birthday.

Arriving at the polo at Widsor Great Park in 1973 after a day at Ascot. This silk mint floral hat was designed by milliner Simone Mirman, who responded to the Queen's brief for hats that would 'please photographers', with many soft-brimmed, off-the-face creations scattered with fabric flowers. A number of them were exhibited at the Kensington Palace State Apartments.

At home with corgi, spring 1953. This is a much softer interpretation of Christian Dior's tailoring so loved by the more fashionable (and extravagant) HRH Princess Margaret.

With Meghan, Duchess of Sussex at the opening of the new Mersey Gateway Bridge in June 2018 – their first public engagement together. The differences between the modern and traditional royal wardrobes are startling – no brooch, hat, sleeves, traditional handbag or gloves for the duchess.

The previous month, at the wedding of Prince Harry to Ms Meghan Markle at St George's Chapel, Windsor Castle. The bride wore Clare Waight Keller, the only female designer at the helm of a major couture house (Givenchy), while the Queen wore this pistachio coat and frock by Stewart Parvin. The embellished hat was made by Angela Kelly, Her Majesty's dresser and closest aide. It has been claimed that their shared laughter is heard frequently by residents at the palace.

In Glasgow for day one of the 2014 Commonwealth Games. The pin, once again, is a tribute to her host location. 'The Three Thistle Brooch' is an old favourite, and is said to be a gift from the Sultan of Oman.

With an as yet unmarried Princess Anne during a 1969 state visit to Austria. It's uncommon for a single woman to wear a jewelled headpiece, traditionally a signal for men not to make their advance.

Jade frock coat with oversized Ossie Clark-inspired collar, accessorised perfectly with small pack of dogs.

Horses go with everything. Wearing an
emerald wool coat and matching
plumed tam-o'-shanter, to the Royal
Windsor Horse Show, circa 1980.

At a formal event in Canada, August 1976, wearing a print column dress and silver mermaid chainmail bag that made regular appearances for decades.

The Queen in cap sleeves – as rare as hen's teeth.
In Fiji during her royal tour, February 1977.

At the Museum of the Adjutant General's Corps in Winchester, November 2003. The Queen is rarely seen without hats before 6pm, when women traditionally changed for dinner. She is particular about brims, which must be narrow enough for crowds to catch a glimpse of the monarch...

... And for she herself to see clearly – particularly when racing is involved. At The Royal Windsor Horse Show, May 1980.

On the balcony of Government House, Melbourne, March 1954. A rare sighting of the Queen in a double-strand – as opposed to triple-strand – pearl necklace, worn usually by Princess Margaret.

BLUE

Royal blue on the Queen – it's a no-brainer. But in fact, she has historically (and especially latterly) been more likely to wear turquoise, powder, baby and aqua than the stronger blues like sapphire, teal and navy that arguably suit her better. She rarely wears all three colours of our national flag – perhaps so as not to blend in with the sea of flags from well-wishers, or perhaps because it's, well, a bit British Airways.

With grandsons Prince Harry and Prince William in the Royal Box at Guards Polo Club, Windsor, in 1987. Diana, Princess of Wales was determined to dress her children more informally – though the adult princes have since joked about their childhood exasperation at her tendency to dress them eccentrically or exactly alike, as they are here.

February 2018. Sitting atop a special cushion, next to US *Vogue* editor Anna Wintour at Richard Quinn's catwalk show before presenting him with the inaugural Queen Elizabeth II Award for British Design. This was the Queen's first ever visit to London Fashion Week, and the first time she trended on Instagram and Twitter simultaneously. It seems unlikely that QEII would have approved of Wintour's refusal to remove her iconic sunglasses throughout.

Leading Prince Philip, Princess Anne and Prince Charles off HMY *Britannia* prior to a banquet during a royal visit to Norway in August 1969. A rare instance of the Queen's bag (white) not matching her shoes (silver). It may have been decided that a metallic handbag atop diamonds, fur and a beaded shift would be a step too far.

Something blue. At the wedding of Princess Eugenie of York and Jack Brooksbank at Windsor in October 2018. Wearing her favourite black Launer bag and a powder-blue ensemble by her dresser Angela Kelly.

Queen Elizabeth II and Prince Philip around their diamond wedding anniversary in November 2007. The Queen is mostly seen in triple-strand pearl necklaces, and has made them her trademark since 1935, when George V gave his two granddaughters a pearl necklace each – a double strand for Margaret, a triple strand for Lilibet.

Princess Margaret and Princess Elizabeth, the royal sisters, sometime in the 1930s.

In New Zealand, spring 1977, proving one can never over-accessorise. QEII has always worn shades to avoid unsightly squinting. Nowadays, she wears modern transition lenses in her regular specs.

1979. In a powder-blue satin frock
coat and embellished tam-o'-shanter
reminiscent of a jockey's cap.

July 2018. With US President Donald Trump and First Lady Melania in the quadrangle of Windsor Castle. There has been much speculation over the Queen's choice of jewellery for the controversial visit. Blogger Samurai Knitter revealed that on day one of Trump's visit, the Queen wore a simple brooch personally gifted by the Obamas to signify their friendship. On the second day, she wore another given to her by Canada, with whom Trump has a frosty relationship. On the last day, she wore a brooch she'd barely worn since the funeral of her father, George VI. This might seem a conspiracy theory too far, were it not for the fact that the Queen is known to have matched her brooches thematically throughout her entire reign.

Cornflower blue and polka dots during her official tour of the
South Pacific, October 1982. The feathered hat is by milliner
Frederick Fox and the sapphire, diamond and pearl brooch
belonged to Empress Marie Feodorovna of Russia.

Wearing a traditional Maori kiwi-feather cloak during her jubilee tour of New Zealand, 1977. The Queen took such a liking to the cloak (given to her in January 1954) that she's worn it on several subsequent visits. The kiwi bird has huge significance in Maori culture and represents protective spirits.

With Meghan, Duchess of Sussex watching the RAF fly-past on the balcony of Buckingham Palace, to mark the RAF centenary in July 2018. It's no coincidence that the Queen has chosen to wear azure, the colour of the original RAF uniforms, inspired by the open sky. Meghan also wears blue in honour of the air force.

Another tribute in colour. Meeting British Airways
dignitaries at Heathrow Airport in London, May
2004, to mark the 10th anniversary of UNICEF and
British Airways' Change for Good coin-collecting
programme, wearing a hat and coat in cyan blue –
the official colour of UNICEF.

Matching one's toy sports car to
one's sunbeam pleats – a gesture
to which all busy mothers can
surely relate. Balmoral Castle, 1952.

President John F. Kennedy and First Lady Jackie Kennedy attend a private dinner at Buckingham Palace in June 1961. The meeting was tense, since Jackie had invited her sister and twice-divorced brother-in-law. The Queen objected, and the First Lady objected to her objection. A perfect start to a relaxing evening.

In Saudi Arabia, spring 1979. The Queen respects local dress codes and cultures, here by covering her head, limbs and neck in a silk chiffon turban hat by Frederick Fox, long scarf (firmly anchored by sapphire brooch), and floor-length royal blue seersucker suit by Hardy Amies. This ensemble is now part of the Royal Collection.

With her two eldest children, Charles and Anne, at Balmoral, 1952. Custom dictates that royal children must be dressed formally when in public, though it's highly unusual for a male royal to be seen in long trousers before the age of eight (Charles is four here).

June 2017. What does one wear to the State Opening of Parliament almost a year to the day after the country's referendum on Brexit, a ceremony delayed after Theresa May's government lost its majority? EU blue and gold with a smattering of stars, of course. A 'coincidence' as sublime as it is unlikely. Naturally, the Palace offered no comment.

Attending a service for the Order of St Michael and St George at St Paul's Cathedral, July 1968. On her satin cape, the Queen is wearing the Star of the Order, which bears the motto 'Auspicium Melioris Aevi', meaning 'Token of a better age'.

In a teal tweed suit and feathered hat, at Aberdeen Airport in 1974. The striking scarlet dog leads will be no happy accident.

At Sandringham in 1970 with whichever of the Queen's many devoted corgis looked most fetching next to indigo paisley.

On day one of the Royal Windsor Horse Show in May 2017 in her preferred country garb – navy quilted David Barry jacket and Hermès headscarf. Country kilt and sturdy flat Oxford shoes not seen.

PURPLE

'When I am an old woman I shall wear purple,' said poet Jenny Joseph, and the Queen apparently had similar intentions. Elizabeth has worn this, the most regal of colours, more often as she's advanced in years, but purple has been associated with the monarchy for centuries – Queen Elizabeth I forbade anyone but senior members of the royal family to wear it. Her modern namesake loves lavender and lilac, but in recent years has been more likely to embrace bold magenta, strong purples and almost fluorescent ultraviolet.

In cheerful lilac polka dots, accompanying
a less chipper Prime Minister Muldoon on a
walkabout in Wellington, New Zealand, 1977.

With father of the bride, Mr Rhys-Jones, followed by Prince Philip and Mrs Rhys-Jones at the early-evening civil wedding of Prince Edward to Sophie Rhys-Jones in Windsor. The Queen adhered to the unorthodox dress code of evening wear and no hats (this is a Frederick Fox feather fascinator worn with Hardy Amies gown). The Queen Mother, who was seldom seen hatless, did not.

Inspecting troops during a visit to Howe Barracks in Canterbury, June 2013.

Rumoured contents of the Queen's handbag:

small camera

family photos

compact and lipstick (usually pink, by Clarins or Elizabeth Arden)

suction-mounted bag hook, for hanging bag from tables

ironed and folded bank note for any church service collections

crossword clipped from newspaper for any idle moments

mints...

...reading glasses

fountain pen

small silver make-up case given to her
by Prince Philip shortly after they
were married

a mobile phone for calls to
grandchildren.

Aboard the Trinity House Vessel
Galatea, a buoy and lighthouse
maintenance vessel, moored on the
Thames in London, October 2007.

Visiting Ipoh, Malaysia, in October 1989, when leg-of-mutton sleeves and self-belt knee-length tulip dresses were a British mum staple.

Pastels and black to open the Millennium Bridge Walkway across the River Thames, London, May 2000.

Attending the 2016 Braemar Highland Gathering at the Princess Royal and Duke of Fife Memorial Park in Scotland. There has been an annual gathering at Braemar for over 900 years. The current gathering is in the form of Highland games and takes place on the first Saturday in September. This feather brooch (a nod to the Scottish native golden eagle) was given to the Queen by the Braemar Royal Highland Society for her Golden Jubilee in 2002, and she has worn it to each gathering since.

With Prince Philip at Balmoral, wearing casual tweeds and warm jumpers, in 1972. The Queen is said to be at her happiest and most comfortable in the countryside.

With Prince Philip at the Great Wall of China, October 1986: This was The Queen's first ever visit to China. She colour-coded her wardrobe throughout, wearing predominantly the nation's lucky colours, yellow and red. Here she wore purple, which represents divinity and immortality in Chinese culture.

At Luton Airport, November 1999, for the opening of a new terminal. The brooch is known as the Jardine Star and was left to the Queen in 1981 by Lady Jardine of Scotland. She seldom wore it until the latter half of the 1990s, when it became a firm favourite.

February 2013. Holding bunches of flowers given to her during a walkabout after attending service at the church of St Peter and St Paul in West Newton.

Arriving at King's Lynn station, after taking the train from London to begin her Christmas 2017 break at Sandringham. The Queen almost always escapes to the countryside in a headscarf.

At the 2006 Chelsea Flower Show,
in purple herringbone tweed, silk scarf
and her beloved Jardine Star brooch.

Visiting the village of Snettisham near Sandringham on the 40th anniversary of her accession to the throne, February 1992 (two years after the Queen stopped dyeing her grey hair altogether).

A visit to Kent, November 1994. The Queen's ears were pierced in 1951, at age 25, four years after being gifted Cartier pierced earrings by her parents.

At Westminster Abbey to attend the Commonwealth Day Observance, 2003. These favourite patent character shoes, like almost all of the Queen's footwear, are handmade by Anello & Davide. HRH reportedly calls this style 'my work shoes'.

PINK

What was once her favourite and most flattering colour has more recently become a rarer treat. All pinks, from soft blancmange and washed-out salmon, to bright bubblegum and bold cerise, look terrific on the Queen, but latterly, she has mainly opted for fuchsia and barely there pastel pink. What has remained constant is her signature pink lipstick – scarcely altered since her late teens.

Princess Elizabeth was an early adopter of pink and red worn together – a most modern of colour combinations. Here the newly engaged Queen-to-be stands in Buckingham Palace's State Apartments, wearing soft, drapey blush pink, and crimson lipstick (July 1947).

'Pink is the navy blue of India,' said legendary fashion editor, Diana Vreeland. And Queen Elizabeth II's 1961 tour of India included plenty of it – here she is in Bombay, bedecked in pink spots, beads and blooms.

At Chichester Theatre, November 2017, in her favourite pink lipstick. The Queen has a rather outré habit of reapplying her lipstick at the lunch table or theatre seat. She reportedly reassured former US First Lady Laura Bush that this was perfectly acceptable.

Princess Elizabeth in July 1941 in a syringa bush in the grounds of Windsor Castle. She had just begun to wear make-up, after (Oscar Wilde's daughter-in-law) Thelma Holland of Cyclax cosmetics approached the princess with an offer of beauty advice. She became the future Queen's cosmetician, guiding her through her wedding, coronation and royal duties.

In May 1961, at the inaugural ceremony for the Improvement Scheme, in Windsor. The Queen is wearing shantung silk. This and all the monarch's outfits are tested for creasability by being squeezed, wrung and packed tight. Garments that fail the test are rejected.

Boarding a plane to fly to Scotland on a provincial tour, May 1969. Similarities between First Lady Jackie Kennedy's airstrip appearance in pink bouclé Chanel suit and pillbox are surprising but undeniable.

Peking, October 1986. The Queen adjusts her tiara
(named, rather incongruously, 'Girls of Great Britain
and Ireland' and passed down by Queen Mary of Teck)
while perusing the menu at a banquet held in
her honour. One may eat in a tiara, but never –
not even canapés and finger foods – in a hat.

Admiring a display of roses at the 2018 Chelsea Flower Show
at the Royal Hospital grounds, London. The Queen's hair is
now pearl white, matching her favourite jewellery, which
includes this pink flower brooch – no doubt a nod to the event.

The then Duchess of York with her daughters Princesses Elizabeth and Margaret, wearing matching elfin frocks, in the garden of the Royal Lodge at Windsor.

On a 1951 visit to her beloved Mediterranean island of Malta. The glittery, corseted pink gown was designed by Hardy Amies, and was seen as a tad 'racy' by journalists at the time.

In January 1979, proving that everyone is flattered by coral pink.

More wardrobe twinning for young Princesses Elizabeth and Margaret, seen here in the garden at Windsor. Their styles were soon to become quite different.

Here she wears a pink cape and red hat with feathers
as she attends the Royal Windsor Horse Show in 1979.

The Queen studies her coconut drink as she attends a traditional Western Samoan feast in February 1977. It's unlikely the straw hat would have remained in place after food was served, depending on local customs.

Princess Elizabeth, aged 20, in dusky rose soft
tailoring and pin-curls, at Buckingham Palace.

March 2007. Dressed boldly in pink to meet locals during a walkabout in Brighton, Britain's unofficial gay capital.

With the Queen Mother, and new parents Princess
Diana and Prince Charles at the 1982 Braemar Gathering,
where hats for women are customary. Princess Diana
all but abandoned hats when she observed that one
couldn't cuddle a sick child while wearing one.

September 2015. The Palace appoints Mary McCartney (daughter of Sir Paul) to photograph the Queen as she becomes Britain's longest reigning monarch. The image shows her seated at the desk in her private audience room at Buckingham Palace. She has taken receipt of the official red box on almost every day of her reign. It contains important papers from government ministers in the United Kingdom and her Realms and those from her representatives across the Commonwealth and beyond. Its bright orangey crimson also looks tremendous against pink, and there's no use denying it.

At Ventnor during a royal visit to the Isle of Wight,
matching salmony coral lipstick, hat and coat, July 1965.

Mixing wintry textures of magenta velvet and bouclé wool at the Old Comrades' Parade at the Cavalry Memorial in Hyde Park, May 1995.

NEUTRALS

'I can't wear beige because nobody would know who I am,' Queen Elizabeth II reportedly once said. Despite her love of bold colour and disdain for biscuity hues, she has nonetheless on occasion drawn from a palette of neutrals. Traditional trenches, camel coats, country tweeds, sober grey suits, cream satin ballgowns and, of course, the virginal white lace Norman Hartnell wedding dress and its 13-foot train – QEII is at least semi-hooked on classics.

Princess Elizabeth (known by family members as 'Lilibet')
as a toddler in white silk Georgette and beads.

20 November 1947. Ready for her wedding to Philip, Duke of Edinburgh at Westminster Abbey. The gown was designed by Norman Hartnell, and bought using 200 extra clothing ration coupons from the government. Her 'something borrowed' came in the form of a tiara, once belonging to Queen Mary of Teck, loaned to the princess for the day.

Princess Elizabeth and Princess Margaret were sometimes called 'the debutante princesses', but in fact were no such thing. The Queen ultimately abolished the ritual of presenting aristocratic and unmarried young women to the monarch at court. The Duke of Edinburgh allegedly dismissed the whole tradition as 'bloody daft' and Princess Margaret said, 'We had to stop it really, every tart in London was getting in.'

Queen Elizabeth II inherited much of her jewellery from Queen Mary of Teck. Here, in May 1965, she wears her late paternal grandmother's jubilee necklace and a diamond bow pearl drop brooch to a state reception in Bruhl, Germany.

When is a neutral not really a neutral? When piped in thick scarlet, probably. Attending a polo match at Windsor Great Park after attending Royal Ascot in June 1976.

In a slim-fitting white lace dress and parasol at a Sydney garden party in 1954 – some 30 years before Italian design duo Dolce & Gabbana made near identical frocks their signature.

Not suitable for vegans: King George VI and Queen Elizabeth with their daughters Princess Elizabeth and Princess Margaret, swathed in ermine coronation robes from Ede & Ravenscroft.

Attending a 1960 film premiere wearing a white beaded evening gown by Norman Hartnell, who also designed wedding dresses for both Princess Elizabeth and Princess Margaret.

During the 1967 State Opening of Parliament. The Queen has worn a crown every year except 1974 and 2017 when (on each occasion, owing to schedule disruption relating to a general election) she abandoned the crown and robes of state in favour of simpler opening ceremonies requiring little preparation.

Attending a service of celebration to mark the 400th anniversary of the King James Bible at Westminster Abbey. Most Launer handbags are named after operas – Tosca, Juliet, Susanna, Maddalena, Lulu and the Queen's personal favourite and most-used handbag, the Traviata. All are handmade, and for the Queen the suede lining is replaced by silk for a lighter carriage.

Aged nine in 1935, at home in London, before
discovering a love of bold, cheerful colour.

Crowning her son Charles, Prince of Wales, during his 1969 investiture ceremony at Caernarvon Castle. Members of the royal household are required to personally 'wear in' the Queen's new shoes in advance of her performing royal duties in them.

Recording her 2012 Christmas message to the Commonwealth in 3D for the first time ever, which may account for the futuristic fabric of this shimmering tunic. Or perhaps the Queen was characteristically colour-blocking to match the White Drawing Room at Buckingham Palace, where filming took place.

Champagne – why not? Sparkling ivory
with the Duke of Edinburgh at St Paul's
Cathedral for a service of thanksgiving in
honour of the Queen's 80th birthday,
June 2006. Hat by Rachel Trevor-Morgan.

Joining the Boyfriend Shirt trend while watching her husband compete at the Royal Windsor Horse Show, May 1998.

Circa 1985: with the Queen Mother and attempting to blend in during the Badminton Horse Trials. Riding boots are generally worn only in the countryside, or with military uniform.

Princesses Elizabeth and Margaret dressed entirely in autumnal tones, their Lhaso apso dog notwithstanding, outside the Royal Lodge, Windsor, April 1942. They dressed either identically or similarly until early adulthood.

Opening the King Edward Court Shopping Centre in
Windsor, February 2008. One of only a handful of occasions
the Queen has attended a formal engagement in brown.

At the Royal Windsor Horse Show in her waxed Barbour jacket, 1990. For the Queen's Diamond Jubilee in 2012, Dame Margaret Barbour offered the Queen a new jacket, but she declined, asking instead if her 25-year-old one could be rewaxed and spruced up.

PRINT

When we imagine our Queen, we see her in block colours – all pink, red, yellow or green. But the monarch has a print wardrobe of which Iris Apfel would be proud. Spots, stripes, chevrons, tartans, houndstooth, cheetah, sweet ditsy florals and riotous, clashing blooms – the Queen has worn them all and more. She may have outgrown some prints – both leopard and polka dot have been retired – but florals and checks, it seems, are for life. There have been some unexpected latecomers too. Multicoloured harlequin diamonds in her seventies? Why the hell not.

Admiring a display of flowers in a
conservatory at Balmoral Castle in 1972,
and clearly inspiring multiple Gucci
ready-to-wear collections and
advertising campaign shots, some
45 years later.

Visiting the Sandringham Flower Show in July 1987. The Queen loves flowers and is thought by many to wear Floris' White Rose, a blend of roses and carnations. The royal warrant-holding perfumery house also make Royal Arms, a floral fragrance created in 1926, especially for the Queen's birth.

Clarence House, August 1988, to celebrate Queen Elizabeth, the Queen Mother's 88th birthday. Nothing more eighties than lurid butterfly prints and a stiff, lacquered hairstyle. (The Queen uses Kent combs and brushes on hers.)

Queen Elizabeth II meets children wearing national costumes during a visit to Tasmania, Australia, 1981.

July 2010. Queen Elizabeth II walks out of Government House to unveil a statue of herself, in Winnipeg, Canada. The Queen and Duke of Edinburgh were on an eight-day tour of Canada, starting in Halifax and finishing in Toronto, to celebrate the centenary of the Canadian Navy and to mark Canada Day on 1 July. The royal couple then made their way to New York where the Queen addressed the UN and visited Ground Zero.

Queen Elizabeth II smiles during her visit to New Zealand as part of her Silver Jubilee tour in March 1977.

With the Duke
and Duchess
of York outside
Clarence House,
August 1986. The
Queen's preferred
shoe heel height is
2.25 inches - not
a fraction more.

'All my ideas are stolen anyway,' once said artist Damien Hirst. This Marie O'Regan dotty hat and matching placket was worn in Hungary in 1993, some three or four years after Hirst's own multicoloured dots came to the public's attention.

A tribute to her own son? The Queen tours Turkey in oversized Prince of Wales check. Wide lapels and large patch pockets show even the monarch was not immune to 1970s fashion trends.

With Prince Philip in Barbados during the Silver Jubilee year of 1977. Each of the Queen's looks is logged in writing by staff, to avoid any future repetition.

Harlequin diamond sequins and yellow stripes for the Royal Variety Performance at the Birmingham Hippodrome in November 1999.

The royal family's deep love of animals and nature, alongside their persistent, if waning, use of real fur in clothing, is confusing. In an ocelot scarf in 1958.

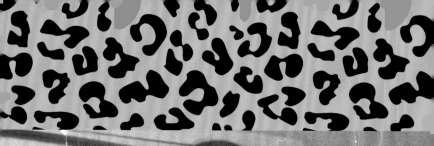

Leopard print could arguably be classified as a neutral, but it represented such a bold statement for the Queen that its spiritual home is in prints. In winter 1952, sadly before faux fur become so good as to be undetectable.

During her Diamond Jubilee visit to the Isle of Wight, July 2012 – the Queen's last stop on her jubilee tour. While travelling, the Queen's ladies-in-waiting are said to always carry with them: travel sickness medicine, melatonin, an all-black outfit in case of tragedy, sealed lavatory tissue, a personal supply of blood, drinking water, pastries and Dundee cake, gin and red wine, a hot-water bottle.

On a walkabout in Barbados, November 1977. The Queen is rumoured to have a number of signals she communicates to nearby staff via the discreet positioning of her handbag during an engagement. These translate as follows.
Bag on table: We need to be wrapped up here in five minutes.
Swapping bag from one arm to another: Please interrupt my conversation and call me away.
Bag on the floor: Time to leave immediately.

On a 1993 visit to Cyprus, wearing a floral dress by John Anderson and hat by Philip Somerville. These pearl and diamond earrings and three-strand pearls have travelled everywhere with the Queen for several decades.

In Malta, November 1967, in a floral princess coat with three-quarter-length sleeves by Hardy Amies. The Queen favours this bracelet cut for its comparative neatness and decreased chances of trailing in food. Gloves (preferred length: 15 cm) bridge any gaps. She has paired the coat with one of her favourite brooches, the Cullinan V by Garrard.

In Fiji, 1977. The silk scarf is as closely associated with Elizabeth II as the Crown Jewels. At London Fashion Week, designer Richard Quinn showed a halter gown made entirely from silk scarves as part of a collection inspired by the Queen at leisure on the Balmoral estate.

Rare accord between the Queen and Princess Diana, as they celebrate the Queen Mother's 90th birthday in complementary bright florals at Clarence House, 1990.

ACKNOWLEDGEMENTS

First and foremost, thank you to Georgia Garrett
at Rogers, Coleridge & White, the best agent anyone
could hope for. Huge thanks to Rowan Yapp for bringing
such a fun and unexpected project to me, and to
Sam Baker for letting me write *The Pool* column that
prompted her to get in touch. Thank you to Sophie Harris,
for making everything look so beautiful, to Louise Haines
for kindly agreeing to my involvement, and to Daniel Maier,
as always, for putting up with my schedule. I am most
grateful of all to the brilliant Lauren Oakey, who worked
so tirelessly and enthusiastically on the research
of this book. It simply would not exist without her.

CREDITS

© Alex Lane

SALI HUGHES is a journalist and broadcaster, specialising in beauty, women's issues and film. She has written for *Grazia*, the *Observer*, *Vogue*, *Elle* and *Stylist* among others and is resident columnist for *The Pool* and *Empire* magazine. She is also Beauty Editor for the *Guardian*. Sali is an experienced radio broadcaster and has made many television appearances. She hosts her own popular YouTube series: 'In the Bathroom With...' and presents her own show on Soho Radio. In 2018, she co-founded Beauty Banks, a non-profit collective. Sali was written two bestselling books, *Pretty Honest* and *Pretty Iconic*. She lives in Brighton with her two sons and husband.

1 3 5 7 9 10 8 6 4 2

Square Peg, an imprint of Vintage,
20 Vauxhall Bridge Road,
London SW1V 2SA

Square Peg is part of the Penguin Random House group of companies
whose addresses can be found at global.penguinrandomhouse.com

Text copyright © Sali Hughes 2019

Sali Hughes has asserted her right to be identified as the author of this
Work in accordance with the Copyright, Designs and Patents Act 1988

First published by Square Peg in 2019

Penguin.co.uk/vintage

A CIP catalogue record for this book is available from the British Library

ISBN 9781910931981

Design by Sophie Harris

Printed and bound in China by C & C Offset Printing Co., Ltd.

Penguin Random House is committed to a sustainable future
for our business, our readers and our planet. This book
is made from Forest Stewardship Council® certified paper.